Petits Classiques
LARO

Collection fondée
Agrégé des Lettres

Le Voyage de Monsieur Perrichon

Eugène **Labiche**

Comédie

Édition présentée,
annotée et commentée
par Cécile PELLISSIER,
professeur certifié de lettres modernes

© Éditions Larousse 2008
ISBN : 978-2-03-583917-6

SOMMAIRE

Avant d'aborder l'œuvre

Le Voyage de Monsieur Perrichon

Eugène Labiche

Pour approfondir

AVANT D'ABORDER L'ŒUVRE

Fiche d'identité de l'auteur

Eugène Labiche

Nom : LABICHE.

Prénom : Eugène.

Naissance : 6 mai 1815.

Famille : fils unique d'une riche famille de commerçants. Sa mère meurt en 1833. Il épouse la fille d'un industriel fortuné en 1842. Son fils naît en 1856.

Études : à Paris. Au collège Bourbon (actuel lycée Condorcet) à partir de 1826. Baccalauréat en 1833. École de droit en 1834. Licence de droit en 1840.

Professions : écrivain, auteur dramatique. Il publie d'abord des articles dans des revues littéraires. Il est aussi rentier, grâce à une maison léguée par sa mère dont il loue les appartements. Il fait représenter sa première pièce en 1837. Il continue à écrire, uniquement pour le théâtre, jusqu'en 1878. Il achète une grande propriété agricole en 1853.

Domiciles : à Rueil, dans la maison familiale. À Paris, en appartement. En Sologne, au domaine de Launoy.

Carrière : il a écrit 174 pièces, le plus souvent en collaboration. Certaines obtiennent immédiatement un bon succès : *Le Major Cravachon* (1844), *Un chapeau de paille d'Italie* (1851), *L'Affaire de la rue de Lourcine* (1857), *Le Voyage de Monsieur Perrichon* (1860). C'est ensuite la consécration. En 1861, il est fait chevalier, puis en 1870 officier de la Légion d'honneur. En 1878-1879, il fait paraître une série de 57 pièces dans le 1er tome de son *Théâtre complet* (il n'y aura pas de 2nd tome). En 1880, il rentre à l'Académie française.

Il est élu conseiller municipal de Souvigny en 1865, puis maire en 1868. Son mandat sera régulièrement renouvelé jusqu'en 1877.

Santé : fragile durant l'enfance, excellente à l'âge adulte, elle se détériore à partir de 1881. Aggravation subite en octobre 1887.

Mort : dans la nuit du 22 au 23 janvier 1888, à 73 ans. Il est inhumé au cimetière Montmartre, à Paris.

Pour ou contre Eugène Labiche ?

Pour

Émile AUGIER :

« Il n'a ni fouet ni férule ; s'il montre les dents, c'est en riant ; il ne mord jamais. »

Préface au *Théâtre* de Labiche, 1878.

Gilbert SIGAUX :

« Labiche est moraliste [...], malgré lui, sans proférer de sentences, sans conclure. »

Préface au *Théâtre* de Labiche, 1964.

Pierre VOLTZ :

« [...] un comique sans arrière-pensées et des portraits impitoyables ! »

« Le genre Labiche », revue *Europe* n° 786, 1994.

Contre

Émile ZOLA :

« M. Labiche a déjà vieilli. [Il] représente déjà le rire d'hier. »

Nos auteurs dramatiques, 1881.

Eugène IONESCO :

« On a assez du mal à rire à la plupart des pièces comiques de Labiche. »

Notes et contre-notes, 1962.

Repères chronologiques

Vie et œuvre de Labiche	*Événements politiques et culturels*
1815 **Naissance le 6 mai, à Paris.**	**1815** **Les Cent jours. Waterloo. Abdication de Napoléon : Louis XVIII au pouvoir.**
1833 Mort de sa mère. Obtention du baccalauréat.	**1824** **Charles X au pouvoir.**
1834 Voyage en Italie et en Suisse.	**1827-1830** Premier réseau de chemin de fer à Saint-Étienne.
1834-1840 Études de droit à Paris ; publications de nouvelles, critiques de théâtre, souvenirs de voyage dans plusieurs revues.	**1830** **Les Trois Glorieuses : Louis-Philippe au pouvoir. Stendhal, *Le Rouge et le Noir.***
1838 **Représentation de sa première pièce : *M. de Coyllin ou l'homme infiniment bon.* À partir de cette date, il fera représenter plusieurs pièces par an.**	**1833** Balzac, *Eugénie Grandet*.
1839 Publication de son unique roman : *La Clef des champs*.	**1834** Musset, *Lorenzaccio*.
1842 Mariage avec Adèle Hubert.	**1844** Dumas, *Le Comte de Monte-Cristo*.
1844 ***Le Major Cravachon.***	**1848** **Révolution, IIe République : Louis Napoléon Bonaparte président. Chateaubriand, *Mémoires d'outre-tombe*.**
1851 ***Un chapeau de paille d'Italie.***	**1851** Coup d'État de Louis Napoléon Bonaparte.
1853 Achat de la propriété de Launoy, en Sologne.	**1852** ***Second Empire : Louis Napoléon devient Napoléon III.***
1856 Naissance de son fils, André-Marin. *Si jamais je te pince !...*	**1853** Haussmann préfet de la Seine. Hugo, *Les Châtiments* ; Monnier, *Grandeur et Décadence de M. Joseph Prudhomme*.
1857 *L'Affaire de la rue de Lourcine. Un gendre en surveillance.*	

Repères chronologiques

Vie et œuvre de Labiche	*Événements politiques et culturels*
1858 *Deux Merles blancs. Le Grain de café* (échec).	**1857** Baudelaire, *Les Fleurs du mal* ; Flaubert, *Madame Bovary*.
1859 *L'Omelette à la Follembuche. Le Baron de Fourchevif. Les Petites Mains.*	**1859** Division de Paris en 20 arrondissements. Succès de la campagne d'Italie.
1860 ***Le Voyage de Monsieur Perrichon.*** *Les Deux Timides.*	**1860** Annexion de la Savoie et de Nice à la France. Expansion coloniale en Algérie, au Sénégal, en Indochine.
1861 *Les Vivacités du capitaine Tic. La Poudre aux yeux.*	**1866** Daudet, *Lettres de mon moulin* ; Verlaine, *Poèmes saturniens*.
1864 *La Cagnotte* ; *Moi* (à la Comédie-Française).	**1869** Inauguration du canal de Suez.
1867 *La Grammaire. Les Chemins de fer.*	**1870** **Guerre franco-prussienne : IIIe République.**
1870 *Le Plus Heureux des trois.*	**1871** **Armistice : perte de l'Alsace et de la Lorraine ; Commune de Paris.**
1872 Succès de *Doit-on le dire ?*	**1873** Rimbaud, *Une saison en enfer* ; Verne, *Le Tour du monde en quatre-vingts jours*.
1878 **Parution des premiers volumes du *Théâtre complet* (57 pièces, soit un tiers de sa production).**	**1877** Edison invente le phonographe.
1879 **Reprise du *Voyage de Monsieur Perrichon* (gros triomphe).**	**1883** Première automobile à pétrole.
1880 Élection à l'Académie française.	**1885** Zola, *Germinal*.
1882-1884 Mariage de son fils et naissance de ses 2 petits-fils.	**1887** Maupassant, *Le Horla*.
1885 Malade du cœur ; mort de sa belle-fille.	
1888 **Meurt dans la nuit du 22 au 23 janvier, à Paris, à l'âge de 72 ans.**	

Fiche d'identité de l'œuvre

Le Voyage de Monsieur Perrichon

Auteur :
Eugène Labiche, en collaboration avec Édouard Martin.

Genre :
comédie.

Forme :
dialogue en prose.

Structure :
4 actes.

Personnages : 7 personnages principaux : Monsieur Perrichon, bourgeois prospère, sa femme Caroline et sa fille Henriette. Armand Desroches et Daniel Savary, deux jeunes gens aisés. Majorin, employé de bureau, ami de Perrichon. Le commandant Mathieu, militaire de carrière.

5 personnages secondaires : Joseph et Jean, domestiques ; 2 employés de chemin de fer ; l'aubergiste. Plusieurs figurants.

Lieu, moment et durée de l'action : 4 lieux différents : Paris, gare de Lyon ; Montanvert, dans l'auberge ; Paris, dans le salon de Perrichon, puis dans son jardin - l'action est contemporaine par rapport au moment de l'écriture de la pièce (1860), et se déroule sur plusieurs semaines.

Sujet : Monsieur Perrichon part avec sa femme Caroline et sa fille Henriette dans les Alpes. Armand et Daniel, tous deux amoureux d'Henriette, se retrouvent à la gare de Lyon. Les deux amis concluent un pacte : ils suivront la famille Perrichon et tenteront chacun de séduire la jeune fille. Celui qu'on éconduira se retirera sans insister.
À Chamonix, Armand sauve Perrichon d'une chute dans un précipice. Puis, c'est Perrichon qui sauve Daniel. Le commandant Mathieu vexe ensuite Perrichon, qui l'insulte.
De retour à Paris, le commandant retrouve Perrichon et exige réparation dans un duel... Comment Perrichon va-t-il sortir de ce mauvais pas ? Et à qui donnera-t-il finalement sa fille ?

LE VOYAGE DE M: PERRICHON

Pour ou contre

Le Voyage de Monsieur Perrichon ?

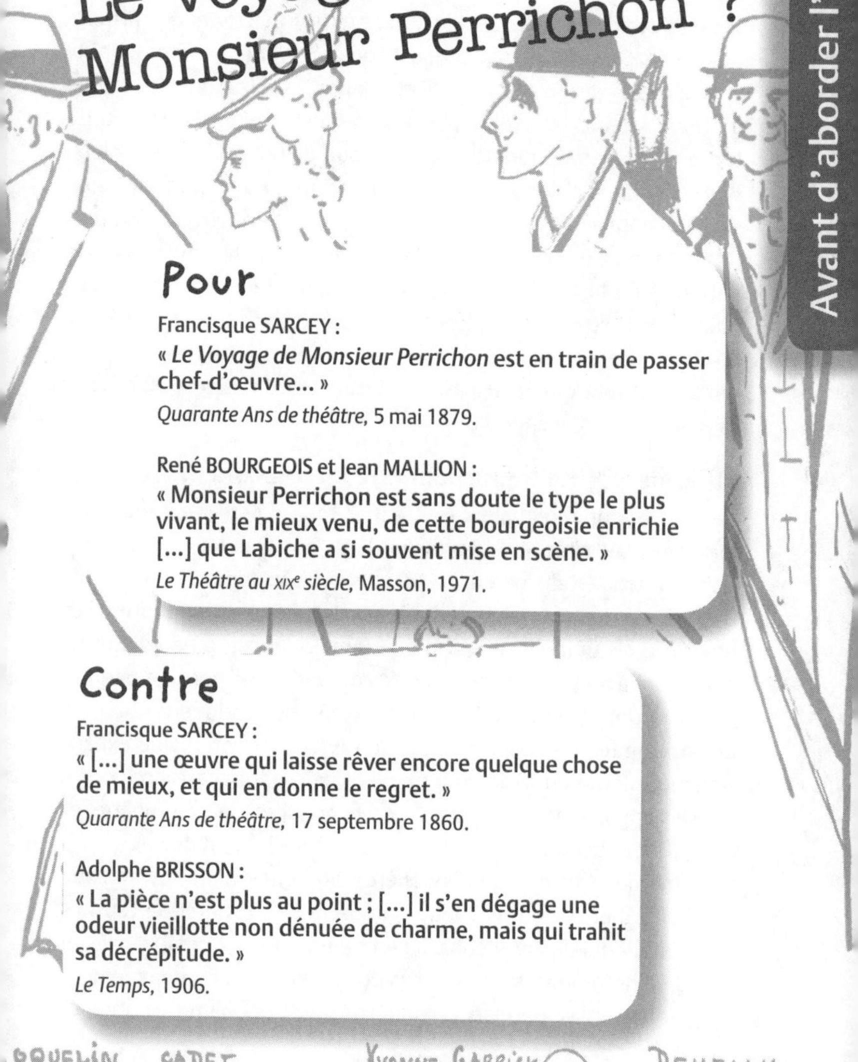

Pour

Francisque SARCEY :

« *Le Voyage de Monsieur Perrichon* est en train de passer chef-d'œuvre... »

Quarante Ans de théâtre, 5 mai 1879.

René BOURGEOIS et Jean MALLION :

« Monsieur Perrichon est sans doute le type le plus vivant, le mieux venu, de cette bourgeoisie enrichie [...] que Labiche a si souvent mise en scène. »

Le Théâtre au XIXe siècle, Masson, 1971.

Contre

Francisque SARCEY :

« [...] une œuvre qui laisse rêver encore quelque chose de mieux, et qui en donne le regret. »

Quarante Ans de théâtre, 17 septembre 1860.

Adolphe BRISSON :

« La pièce n'est plus au point ; [...] il s'en dégage une odeur vieillotte non dénuée de charme, mais qui trahit sa décrépitude. »

Le Temps, 1906.

OQUELIN CADET YVONNE GARRICK DEHELLY

BN ASP

Pour mieux lire l'œuvre

✣ Au temps de Labiche

Eugène Labiche a vécu plusieurs moments importants de l'histoire de France. Ses parents ont connu Napoléon Ier et le premier Empire, puis le retour des rois Louis XVIII et Charles X sur le trône. Lui-même a 15 ans quand Louis-Philippe accède au pouvoir. Il est ensuite témoin de la révolution de 1848, du coup d'État de Louis Napoléon Bonaparte en 1851, et de la proclamation du second Empire en 1852. Il connaît aussi la guerre franco-prussienne de 1870, puis l'avènement de la troisième République, et, un an après, les événements de la Commune… Il assiste également aux principales étapes de la révolution industrielle et aux grands travaux de Paris. Il s'intéresse aux progrès techniques et aux découvertes de son temps… Autant dire qu'il a pu porter un regard critique, ou en tout cas curieux sur son époque.

« Une vie trop heureuse pour être intéressante… »

Le second Empire est alors tout entier tourné vers la bourgeoisie, fortement sollicitée et soutenue par Napoléon III et les grands financiers. La famille Labiche y a trouvé plus que son compte. Tout jeune, Eugène est déjà comblé, aussi bien affectivement que matériellement. Ce fils unique est issu d'une famille de commerçants prospères, qui a su profiter des circonstances offertes par une période troublée pour s'enrichir. Son père a créé une fabrique de sirop et glucose de fécule, qui s'est trouvée rapidement en pleine expansion ; lui-même possède un immeuble de rapport parisien, dont il loue les appartements… Il aime aussi écrire, il se plaît au théâtre, et rien ne l'empêche désormais de se lancer dans la création.

De la même façon que ses congénères, bourgeois nantis comme lui, il a d'abord et surtout envie de s'amuser et de profiter de tous les bons moments de l'existence. Il le dit lui-même : « Je n'ai jamais pu prendre l'homme au sérieux ». Il va donc mettre cet heureux tempérament au service des spectateurs. Le jeune Eugène réussit rapidement à atteindre son objectif : ses premières pièces obtiennent de bons succès, et il accède même à la consécration avec *Un chapeau de paille d'Italie*, en 1851. Il est désormais devenu expert dans l'art du vaudeville, qui fait fureur à l'époque.

Un homme de théâtre comblé…

Le vaudeville est une petite pièce légère, sorte de joyeuse comédie musicale, le plus souvent en un acte. On y trouve de nombreux passages chantés sur des airs connus du public, sur lesquels les acteurs mettent simplement de nouvelles paroles. Il plaît surtout pour sa fantaisie, son mouvement et sa bonne humeur, car l'intrigue est très simple et les thèmes sont peu variés. Le public en est très gourmand, et n'est guère difficile sur la qualité littéraire, du moment qu'il s'amuse. Les directeurs des théâtres en demandent fréquemment et régulièrement, ce qui explique la très grosse production durant la première moitié du XIXe siècle. Pour tenir le rythme, les auteurs n'hésitent pas à collaborer : en écrivant à plusieurs, ils vont plus vite et multiplient aussi les idées et les bons mots. Cette façon de faire est très fréquente : Labiche a eu ainsi 47 collaborateurs durant sa carrière !

En 1860, Labiche n'en est donc pas à sa première pièce, loin de là. À 45 ans, il est déjà très célèbre, adulé par le public, la critique et les directeurs de théâtre. Ses nombreux vaudevilles (presque 60 !) lui ont donné une réputation inaltérable d'auteur comique, et ses succès sont toujours aussi brillants. Il vit paisiblement, entouré de sa famille et de ses amis. Il peut goûter régulièrement aux joies de la campagne dans son immense propriété de Launoy, en Sologne, acquise sept ans auparavant grâce à ses droits d'auteur. Comme ses personnages, Eugène Labiche est désormais un gros bourgeois, riche propriétaire terrien et heureux père de famille, qui semble se complaire dans une vie active, laborieuse mais rangée.

...mais un auteur insatisfait

Pourtant, il lui manque la reconnaissance des gens de lettres, qui méprisent le vaudeville. Car même si le genre a évolué progressivement vers la comédie grâce à des auteurs comme Eugène Scribe (1791-1861), les intellectuels lui reprochent encore son manque de « tenue littéraire » et son style trop parlé. Ils n'accordent leur faveur qu'à la « haute comédie » de mœurs et de caractères, dont les maîtres sont, bien sûr, Molière, Marivaux ou Beaumarchais... Pour eux, Labiche est certes un bon vaudevilliste, mais un « rieur », un « amuseur », rien de plus !

Labiche se plaint depuis quelque temps de cette situation. Il aimerait sortir des théâtres de divertissements légers comme le Palais-Royal ou les Variétés, et faire jouer l'une de ses pièces à la Comédie-Française. Cela serait pour lui le moyen d'être enfin considéré comme un auteur dramatique à part entière : « J'ai toujours l'espoir et le désir de faire une pièce pour le Théâtre-Français. Qu'il me vienne un bon sujet, et je m'y livrerai tout entier », écrit-il déjà en 1854 à son ami Alphonse Leveaux. Or, il a rencontré un nouveau collaborateur avec qui il s'entend à merveille. Comme lui, Édouard Martin vise la comédie de mœurs. Tous deux ont déjà écrit *L'Affaire de la rue de Lourcine*, qui a obtenu un vif succès en 1857. Ils s'attellent donc ensemble à la tâche, et rédigent les quatre actes d'une grande comédie. Leur point de départ est une maxime que Labiche a notée depuis longtemps dans ses carnets : « Les hommes ne s'attachent pas à nous en raison des services que nous leur rendons mais en raison des services qu'ils nous rendent ». Et c'est au bourgeois (personnage type favori de Labiche !), incarné par Monsieur Perrichon, qu'ils vont laisser le soin d'illustrer cet adage...

Une réussite totale

La pièce est représentée pour la première fois le 10 septembre 1860 au théâtre du Gymnase. L'acteur Geoffroy y tient merveilleusement le rôle principal. La réussite est totale, et le public fait un triomphe aussi bien aux auteurs qu'à l'interprète de Monsieur Perrichon. La critique est plus réservée, mais admet que *Le Voyage de Monsieur Perrichon* marque sans conteste un tournant dans la carrière de Labiche. La comédie sera jouée sans discontinuer du 10 septembre au 23 novembre 1860, ce qui est un exploit pour l'époque. Elle sera ensuite reprise en 1879 à l'Odéon, et remportera de nouveau un immense succès durant ses 193 représentations.

L'essentiel

Sous le second Empire, le vaudeville est très en vogue mais considéré comme un genre théâtral mineur. Avec *Le Voyage de Monsieur Perrichon* (écrit avec Édouard Martin), Labiche veut tenter l'expérience d'une comédie de mœurs. Sans pour autant renier le vaudeville qui l'a rendu célèbre, il souhaite en effet être joué à la Comédie-Française afin d'être reconnu comme un véritable auteur de théâtre.

L'œuvre aujourd'hui

On peut trouver, comme déjà Zola en son temps, que cette comédie est complètement dépassée aujourd'hui. Toutes les nouveautés que Labiche y a glissées – comme le trajet en train et le voyage touristique à la mer de Glace – n'ont plus aucun intérêt. Les allusions à des faits d'actualité – comme le service à la Garde nationale – ne font plus référence à rien dans nos esprits. Par ailleurs, les comportements des personnages semblent parfaitement inadaptés à notre époque. Qui, par exemple, provoquerait maintenant en duel un inconnu pour une faute d'orthographe ? Quel père dicterait à sa fille de 18 ans ses impressions de voyage, ou choisirait ses lectures ?

Pourtant, *Le Voyage de Monsieur Perrichon* est la pièce de Labiche la plus jouée à la Comédie-Française et dans le monde. Il faut dire que l'idée qu'elle développe est universelle. Il suffit, pour s'en convaincre, de citer ce proverbe polonais : « Les bonnes actions sont écrites sur le sable »... Mais il ne suffit pas que le thème soit intéressant pour qu'une pièce connaisse le succès : Labiche l'a amèrement constaté avec *Moi*, sa comédie sur l'égoïsme qu'il a présentée à la Comédie-Française en 1864.

Qu'est-ce qui peut donc alors expliquer la réussite de Perrichon ?

D'abord, sûrement, l'absence de jugement. Les problèmes des hommes et des femmes de Labiche ne sont plus les nôtres... en apparence seulement, car ce qu'ils ressentent et vivent n'est peut-être pas si éloigné que cela de notre quotidien. Labiche montre des personnages en situation, et les laisse évoluer sous les yeux du spectateur qui les observe, les critique ou les condamne... mais seulement s'il le désire ! Or, les situations sont variées et le spectateur a le choix. Que va-t-il suivre ? Les tentatives grotesques de Perrichon d'être « à la page », en touriste accompli et faiseur de phrases ? Ou bien les péripéties vécues par les deux amis dans leur quête parallèle... ? Va-t-il soutenir la revêche Caroline au service du bonheur de sa fille ? Ou bien s'amuser des déboires sentimentaux du zouave redresseur des torts faits à l'orthographe ? Et que va-t-il penser de Majorin, l'absentéiste intéressé, et de Jean, l'impeccable et narquois domestique ?

Ensuite, on ne peut rester insensible à sa gaieté et à sa fraîcheur. Tout est réjouissant dans *Le Voyage de Monsieur Perrichon :* on laisse à Paris celui qui ne se déride jamais, le triste Majorin, et l'on part vers d'autres horizons le sourire aux lèvres. Grâce aux répliques naïves et parfois stupides de Perrichon, à son ingratitude obstinée, on rit de bon cœur... Grâce à la sincérité d'Armand et d'Henriette, on sourit avec indulgence. Grâce aux manœuvres avortées de Daniel qui ne perd jamais pour autant son sens de l'humour, on s'amuse en toute simplicité. Mais on ne ricane pas, et si on se moque, c'est très gentiment. La généreuse bonhomie de Caroline à l'égard de son mari incite à la clémence. Et malgré ses défauts, Perrichon est décidément un brave père de famille, aimant et simple. Il prend en compte la leçon qui lui a été donnée, reconnaît ses torts, tout en restant humain, et donc fragile.

Ainsi, même si Labiche fait le portrait caricatural du bourgeois bedonnant, du fonctionnaire aigri ou du courtisan arriviste, rien ne froisse ni ne fait mal. Sa vision sur son époque et sur les comportements humains est critique, mais si aimablement présentée que le spectateur passe une bonne soirée, et en très bonne compagnie. *Le Voyage de Monsieur Perrichon* se propose peut-être de « châtier les mœurs en riant », mais de la façon la plus plaisante qui soit.

L'essentiel

La comédie *Le Voyage de Monsieur Perrichon* remporte toujours un très grand succès. C'est la pièce de Labiche la plus jouée de nos jours à la Comédie-Française. En effet, même si le bourgeois du second Empire n'est plus d'actualité, Labiche a su rendre son personnage universel. Perrichon est désormais légendaire : il est devenu l'incarnation caricaturale de l'ingratitude humaine.

BN ASP

Le Voyage de Monsieur Perrichon.
Dessin de Yvon Marenery.

Le Voyage de Monsieur Perrichon

Eugène Labiche

Comédie représentée pour la première fois le 10 septembre 1860

PERSONNAGES

PERRICHON	
LE COMMANDANT MATHIEU	
MAJORIN	
ARMAND DESROCHES	
DANIEL SAVARY	
JOSEPH	*domestique du commandant*
JEAN	*domestique de Perrichon*
MADAME PERRICHON	
HENRIETTE	*sa fille*
UN AUBERGISTE	
UN GUIDE	
UN EMPLOYÉ DE CHEMIN DE FER	
UN FACTEUR	
COMMISSIONNAIRES	
VOYAGEURS	

ACTE I

Scène 1

MAJORIN, UN EMPLOYÉ DU CHEMIN DE FER, UN FACTEUR, VOYAGEURS, COMMISSIONNAIRES[1].

La gare du chemin de fer de Lyon, à Paris. Au fond, barrière ouvrant sur les salles d'attente. Au fond, à droite, guichet pour les billets. Au fond, à gauche, bancs, marchande de gâteaux ; à gauche, marchande de livres.

MAJORIN, *se promenant avec impatience.* Ce Perrichon n'arrive pas ! Voilà une heure que je l'attends... C'est pourtant bien aujourd'hui qu'il doit partir pour la Suisse avec sa femme et sa fille... *(Avec amertume.)* Des carrossiers[2] qui vont en Suisse ! Des carrossiers qui ont quarante mille livres de rentes[3] ! Des carrossiers qui ont voiture[4] ! Quel siècle ! Tandis que moi, je gagne deux mille quatre cents francs[5]... Un employé laborieux[6], intelligent, toujours courbé sur son bureau... Aujourd'hui, j'ai demandé un congé... j'ai dit que j'étais de garde[7]... Il faut absolument que je voie Perrichon avant son départ... je veux le prier de m'avancer mon trimestre... six cents francs ! Il va prendre son air protecteur... faire l'important !...

---

1. **Commissionnaires :** personnes dont le métier est de faire les commissions de quelqu'un (courses, achats, remises de messages, etc.).
2. **Carrossiers :** fabricants et vendeurs de carrosses.
3. **Quarante mille livres de rente :** la somme annuelle dont il dispose pour vivre, grâce à ses placements, ses économies.... Cette somme est énorme pour l'époque. On utilise généralement le mot « livre » pour « franc » quand on parle des rentes.
4. **Qui ont voiture :** qui possèdent un moyen de transport personnel.
5. **Deux mille quatre cents francs :** salaire annuel. Un ouvrier gagne alors environ 960 francs. En 1856, le traitement moyen d'un fonctionnaire est de 1 350 francs. Majorin gagne donc plutôt bien sa vie.
6. **Laborieux :** qui travaille beaucoup.
7. **J'étais de garde :** comme tout citoyen à l'époque, Majorin doit effectuer quelques jours de service par an à la Garde Nationale. C'était alors l'équivalent du « service militaire ».

un carrossier ! ça fait pitié ! Il n'arrive toujours pas ! on dirait qu'il le fait exprès ! *(S'adressant à un facteur*[1] *qui passe suivi de voyageurs.)* Monsieur... à quelle heure part le train direct pour Lyon ?

LE FACTEUR, *brusquement.* Demandez à l'employé. *(Il sort par la gauche.)*

MAJORIN. Merci... manant[2] ! *(S'adressant à l'employé qui est près du guichet.)* Monsieur, à quelle heure part le train direct pour Lyon ?

L'EMPLOYÉ, *brusquement.* Ça ne me regarde pas ! voyez l'affiche. *(Il désigne une affiche à la cantonade*[3]*, à gauche.)*

MAJORIN. Merci... *(À part.)* Ils sont polis dans ces administrations ! Si jamais tu viens à mon bureau, toi !... Voyons l'affiche... *(Il sort par la gauche.)*

Scène 2

L'EMPLOÉ, PERRICHON, MADAME PERRICHON, HENRIETTE.

Ils entrent par la droite.

PERRICHON. Par ici !... ne nous quittons pas ! nous ne pourrions plus nous retrouver... Où sont nos bagages ?... *(Regardant à droite ; à la cantonade.)* Ah ! très bien ! Qui est-ce qui a les parapluies ?

HENRIETTE. Moi, papa.

PERRICHON. Et le sac de nuit ?... les manteaux ?

MADAME PERRICHON. Les voici !

---

1. **Facteur :** employé chargé du transport des bagages des voyageurs.
2. **Manant :** brute malpolie.
3. **À la cantonade :** à l'extérieur de la scène, c'est-à-dire dans les coulisses.

PERRICHON. Et mon panama[1] ?... Il est resté dans le fiacre[2] ! *(Faisant un mouvement pour sortir et s'arrêtant.)* Ah ! non ! je l'ai à la main !... Dieu, que j'ai chaud !

MADAME PERRICHON. C'est ta faute !... tu nous presses, tu nous bouscules !... je n'aime pas à voyager comme ça !

PERRICHON. C'est le départ qui est laborieux[3]... une fois que nous serons casés !... Restez là, je vais prendre les billets... *(Donnant son chapeau à Henriette.)* Tiens, garde-moi mon panama... *(Au guichet.)* Trois premières[4] pour Lyon !...

L'EMPLOYÉ, *brusquement.* Ce n'est pas ouvert ! Dans un quart d'heure !

PERRICHON, *à l'employé.* Ah ! pardon ! c'est la première fois que je voyage... *(Revenant à sa femme.)* Nous sommes en avance.

MADAME PERRICHON. Là ! quand je te disais que nous avions le temps... Tu ne nous as pas laissé déjeuner !

PERRICHON. Il vaut mieux être en avance !... On examine la gare ! *(À Henriette.)* Eh bien, petite fille, es-tu contente ?... Nous voilà partis !... encore quelques minutes, et, rapides comme la flèche de Guillaume Tell[5], nous nous élancerons vers les Alpes ! *(À sa femme.)* Tu as pris la lorgnette[6] ?

MADAME PERRICHON. Mais oui !

HENRIETTE, *à son père.* Sans reproches, voilà au moins deux ans que tu nous promets ce voyage.

---

1. **Panama :** chapeau de paille, large et souple.
2. **Fiacre :** voiture à cheval conduite par un cocher, que l'on louait à l'heure ou à la course (équivalent du taxi actuel).
3. **Laborieux :** pénible.
4. **Trois premières :** trois billets de première classe.
5. **Guillaume Tell :** héros légendaire de l'indépendance suisse (fin du XIIIe siècle). Il est surtout connu pour son habileté supposée dans le maniement de l'arc : il aurait percé d'une flèche une pomme placée sur la tête de son propre fils. Cette tradition est remise en cause depuis le XIXe siècle.
6. **Lorgnette :** petite longue-vue.

PERRICHON. Ma fille, il fallait que j'eusse vendu mon fonds[1]... Un commerçant ne se retire pas aussi facilement des affaires qu'une petite fille de son pensionnat... D'ailleurs, j'attendais que ton éducation fût terminée pour la compléter en faisant rayonner devant toi le grand spectacle de la nature !

MADAME PERRICHON. Ah çà ! est-ce que vous allez continuer comme ça ?

PERRICHON. Quoi ?...

MADAME PERRICHON. Vous faites des phrases dans une gare !

PERRICHON. Je ne fais pas de phrases... j'élève les idées de l'enfant. *(Tirant de sa poche un petit carnet.)* Tiens, ma fille, voici un carnet que j'ai acheté pour toi.

HENRIETTE. Pour quoi faire ?...

PERRICHON. Pour écrire d'un côté la dépense et de l'autre les impressions.

HENRIETTE. Quelles impressions ?

PERRICHON. Nos impressions de voyage ! Tu écriras, et moi je dicterai.

MADAME PERRICHON. Comment ! vous allez vous faire auteur à présent ?

PERRICHON. Il ne s'agit pas de me faire auteur... mais il me semble qu'un homme du monde peut avoir des pensées et les recueillir sur un carnet !

MADAME PERRICHON. Ce sera bien joli !

PERRICHON, *à part.* Elle est comme ça, chaque fois qu'elle n'a pas pris son café !

UN FACTEUR, *poussant un petit chariot chargé de bagages.* Monsieur, voici vos bagages. Voulez-vous les faire enregistrer[2] ?...

---

1. **Fonds :** fonds de commerce, ensemble des biens professionnels qui permettent d'exercer une activité commerciale (locaux, machines, stock, clientèle, etc.).
2. **Les faire enregistrer :** les faire prendre en charge par les employés du chemin de fer, qui s'occuperont ensuite de leur acheminement jusqu'à destination.

PERRICHON. Certainement ! Mais, auparavant, je vais les compter... parce que, quand on sait son compte... Un, deux, trois, quatre, cinq, six, ma femme, sept, ma fille, huit, et moi, neuf. Nous sommes neuf.

LE FACTEUR. Enlevez !

PERRICHON, *courant vers le fond.* Dépêchons-nous !

LE FACTEUR. Pas par là, c'est par ici ! *(Il indique la gauche.)*

PERRICHON. Ah ! très bien ! *(Aux femmes.)* Attendez-moi là !... ne nous perdons pas ! *(Il sort en courant, suivant le facteur.)*

Scène 3 MADAME PERRICHON, HENRIETTE, *puis* DANIEL.

HENRIETTE. Pauvre père ! quelle peine il se donne !

MADAME PERRICHON. Il est comme un ahuri[1] !

DANIEL, *entrant suivi d'un commissionnaire qui porte sa malle.* Je ne sais pas encore où je vais, attendez ! *(Apercevant Henriette.)* C'est elle ! je ne me suis pas trompé ! *(Il salue Henriette qui lui rend son salut.)*

MADAME PERRICHON, *à sa fille.* Quel est ce monsieur ?

HENRIETTE. C'est un jeune homme qui m'a fait danser la semaine dernière au bal de la Mairie du huitième arrondissement[2].

MADAME PERRICHON, *vivement.* Un danseur ! *(Elle salue Daniel.)*

---

1. **Ahuri :** un homme troublé au plus haut point, déconcerté et perdu.
2. **Au bal de la Mairie du huitième arrondissement :** avant 1860, le huitième arrondissement occupait l'emplacement actuel des XIe, XIIe et XXe arrondissements, car Paris n'en comportait que douze.

Daniel. Madame !... mademoiselle !... je bénis le hasard... Ces dames vont partir ?...

Madame Perrichon. Oui, monsieur !

Daniel. Ces dames vont à Marseille, sans doute ?...

Madame Perrichon. Non, monsieur.

Daniel. À Nice, peut-être ?...

Madame Perrichon. Non, monsieur !

Daniel. Pardon, madame... je croyais... Si mes services...

Le facteur, *à Daniel.* Bourgeois[1] ! vous n'avez que le temps pour vos bagages.

Daniel. C'est juste ! allons ! *(À part.)* J'aurais voulu savoir où elles vont... avant de prendre mon billet... *(Saluant.)* Madame... mademoiselle... *(À part.)* Elles partent, c'est le principal ! *(Il sort par la gauche.)*

Scène 4 Madame Perrichon, Henriette, *puis* Armand.

Madame Perrichon. Il est très bien, ce jeune homme !

Armand, *tenant un sac de nuit.* Portez ma malle aux bagages... je vous rejoins ! *(Apercevant Henriette.)* C'est elle ! *(Ils se saluent.)*

Madame Perrichon. Quel est ce monsieur ?

Henriette. C'est encore un jeune homme qui m'a fait danser au bal du huitième arrondissement.

Madame Perrichon. Ah çà ! ils se sont donc tous donné rendez-vous ici ?... n'importe, c'est un danseur ! *(Saluant.)* Monsieur...

---

1. **Bourgeois :** façon populaire de s'adresser aux hommes apparemment aisés.

ARMAND. Madame... mademoiselle... je bénis le hasard... Ces dames vont partir ?...

MADAME PERRICHON. Oui, monsieur.

ARMAND. Ces dames vont à Marseille, sans doute ?...

MADAME PERRICHON. Non, monsieur.

ARMAND. À Nice, peut-être ?...

MADAME PERRICHON, *à part.* Tiens, comme l'autre ! *(Haut.)* Non, monsieur !

ARMAND. Pardon, madame, je croyais... si mes services...

MADAME PERRICHON, *à part.* Après ça[1], ils sont du même arrondissement.

ARMAND, *à part.* Je ne suis pas plus avancé... Je vais faire enregistrer ma malle... je reviendrai ! *(Saluant.)* Madame... mademoiselle...

---

1. **Après ça :** avec cela, en plus.

Le Voyage de Monsieur Perrichon. Mise en scène de Laurent Pelly.
Avec Bruno Raffaelli, Claire Wauthion et Audrey Fleurot.
Maison de la Culture de Loire Atlantique, Nantes, le 20 septembre 2002.

Clefs d'analyse **Acte I,** scènes 1 à 4

Action et personnages

1. Dans quel lieu réel les personnages se trouvent-ils et à quel moment de la journée ?
2. Par quel moyen le spectateur obtient-il des renseignements sur les personnages et la situation dans la scène 1 ?
3. Quelle première impression Monsieur Perrichon donne-t-il au spectateur au début de la scène 2 ?
4. Quels sont les différents renseignements que l'on obtient sur la famille Perrichon dans la scène 2 ?
5. Quels sont les liens qui unissent les différents personnages présentés successivement au spectateur dans ces quatre scènes ?
6. Indiquez ce qui caractérise chacun des personnages principaux en les qualifiant au moyen de deux ou trois adjectifs.

Langue

7. Par quels moyens grammaticaux Majorin marque-t-il sa différence et son mépris pour Perrichon dans la scène 1 ?
8. Par quels moyens grammaticaux l'affolement de Perrichon a-t-il été mis en valeur au début de la scène 2 ?
9. Avec quelle intention Madame Perrichon emploie-t-elle le vouvoiement pour s'adresser à son mari ?
10. Observez la réplique de Perrichon dans la scène 2, de la ligne 31 à 35. À quel mode et quel temps sont les différents verbes ? Justifiez cet emploi.
11. Quel niveau de langue est employé par les différents personnages ?

Genre ou thèmes

12. Quels étaient l'intérêt et l'intention de Labiche en faisant débuter sa pièce à la gare de Lyon ?
13. Les informations données par Majorin dans la scène 1 sont-elles transmises directement ou indirectement au spectateur ?
14. Observez les didascalies de la scène 1. Quelles sont leurs différentes fonctions ?

15. Relevez une comparaison employée par Monsieur Perrichon dans la scène 2. Quel est l'effet produit sur le spectateur ?
16. Observez le parallélisme des scènes 3 et 4. Qu'est-ce qui justifie cette construction ?
17. Quelles sont les différentes fonctions des apartés dans ces quatre scènes ?

Écriture

18. La marchande de livres et la marchande de gâteaux ont observé attentivement la scène. Elles ont chacune une opinion différente sur Monsieur Perrichon. Rédigez leur dialogue.
19. Monsieur Perrichon « examine la gare » (scène 2, ligne 23). Racontez ce qu'il voit et ressent.

Pour aller plus loin

20. Faites une recherche sur la construction et l'organisation des gares parisiennes à l'époque de Labiche.
21. Faites une recherche sur les métiers du chemin de fer et des gares à l'époque de Labiche.
22. Observez les costumes des acteurs sur les photographies de scène proposées dans ce recueil. Qu'en pensez-vous ?

* *À retenir*

Au théâtre, les personnages se parlent en échangeant des répliques. C'est leur dialogue qui permet aux spectateurs de comprendre l'action. Un aparté est une réplique dite à haute voix par l'acteur, que son partenaire n'est pas censé entendre. Il est destiné au public. Les didascalies (en italiques) font partie du texte. Ce sont des indications de mise en scène données par l'auteur.

Scène 5 MADAME PERRICHON, HENRIETTE, MAJORIN, *puis* PERRICHON.

MADAME PERRICHON. Il est très bien, ce jeune homme !... Mais que fait ton père ? les jambes me rentrent dans le corps !

MAJORIN, *entrant par la gauche.* Je me suis trompé, ce train ne part que dans une heure !

HENRIETTE. Tiens ! monsieur Majorin !

MAJORIN, *à part.* Enfin ! les voici !

MADAME PERRICHON. Vous ! comment n'êtes-vous pas à votre bureau ?

MAJORIN. J'ai demandé un congé, belle dame ; je ne voulais pas vous laisser partir sans vous faire mes adieux !

MADAME PERRICHON. Comment ! c'est pour cela que vous êtes venu ! Ah ! que c'est aimable !

MAJORIN. Mais, je ne vois pas Perrichon !

HENRIETTE. Papa s'occupe des bagages.

PERRICHON, *entrant en courant. À la cantonade.* Les billets d'abord ! Très bien !

MAJORIN. Ah ! le voici ! Bonjour, cher ami !

PERRICHON, *très pressé.* Ah ! c'est toi ! tu es bien gentil d'être venu !... Pardon, il faut que je prenne mes billets ! *(Il le quitte.)*

MAJORIN, *à part.* Il est poli !

PERRICHON, *à l'employé au guichet.* Monsieur, on ne veut pas enregistrer mes bagages avant que j'aie pris mes billets !

L'EMPLOYÉ. Ce n'est pas ouvert ! Attendez !

PERRICHON. « Attendez ! » et là-bas ils m'ont dit : « Dépêchez-vous ! » *(S'essuyant le front.)* Je suis en nage !

MADAME PERRICHON. Et moi, je ne tiens plus sur mes jambes !

Perrichon. Eh bien, asseyez-vous ! *(Indiquant le fond à gauche.)* Voilà des bancs... vous êtes bonnes de rester plantées là comme deux factionnaires[1] !

Madame Perrichon. C'est toi-même qui nous as dit : « Restez-là ! » Tu n'en finis pas ! Tu es insupportable !

Perrichon. Voyons, Caroline !

Madame Perrichon. Ton voyage ! j'en ai déjà assez !

Perrichon. On voit bien que tu n'as pas pris ton café ! Tiens, va t'asseoir !

Madame Perrichon. Oui ! mais dépêche-toi ! *(Elle va s'asseoir avec Henriette.)*

Scène 6 Perrichon, Majorin.

Majorin, *à part.* Joli petit ménage !

Perrichon, *à Majorin.* C'est toujours comme ça quand elle n'a pas pris son café... Ce bon Majorin ! c'est bien gentil à toi d'être venu !

Majorin. Oui, je voulais te parler d'une petite affaire.

Perrichon, *distrait.* Et mes bagages qui sont restés là-bas sur une table !... Je suis inquiet ! *(Haut.)* Ce bon Majorin ! c'est bien gentil à toi d'être venu !... *(À part.)* Si j'y allais !

Majorin. J'ai un petit service à te demander.

Perrichon. À moi ?

Majorin. J'ai déménagé... et, si tu voulais m'avancer un trimestre de mes appointements[2]... six cents francs...

---

1. **Factionnaires :** soldats sentinelles, qui doivent rester à leur poste sans bouger.
2. **Mes appointements :** mon salaire.

PERRICHON. Comment, ici ?

MAJORIN. Je crois t'avoir toujours rendu exactement l'argent que tu m'as prêté.

PERRICHON. Il ne s'agit pas de ça !

MAJORIN. Pardon ! je tiens à le constater... Je touche mon dividende des paquebots[1] le 8 du mois prochain ; j'ai douze actions[2]... et si tu n'as pas confiance en moi, je te remettrai les titres[3] en garantie.

PERRICHON. Allons donc ! es-tu bête !

MAJORIN, *sèchement.* Merci !

PERRICHON. Pourquoi diable aussi viens-tu me demander ça au moment où je pars ?... j'ai pris juste l'argent nécessaire à mon voyage.

MAJORIN. Après ça, si ça te gêne... n'en parlons plus. Je m'adresserai à des usuriers[4] qui me prendront cinq pour cent par an... je n'en mourrai pas !

PERRICHON, *tirant son portefeuille.* Voyons, ne te fâche pas !... tiens, les voilà, tes six cents francs, mais n'en parle pas à ma femme.

MAJORIN, *prenant les billets.* Je comprends ! elle est si avare !

PERRICHON. Comment ! avare !

MAJORIN. Je veux dire qu'elle a de l'ordre !

PERRICHON. Il faut ça, mon ami !... il faut ça !

MAJORIN, *sèchement.* Allons ! c'est six cents francs que je te dois... Adieu ! *(À part.)* Que d'histoires ! pour six cents francs !... et ça va en Suisse !... Carrossier ! *(Il disparaît par la droite.)*

---

1. **Dividende des paquebots :** partie des bénéfices que Majorin doit toucher grâce aux actions qu'il possède dans une société de paquebots.
2. **Actions :** titres représentant une part du capital d'une société.
3. **Titres :** certificats qui justifient que Majorin possède effectivement des actions.
4. **Usuriers :** personnes qui prêtent de l'argent en prenant des intérêts sur les remboursements.

PERRICHON. Eh bien, il part ! il ne m'a seulement pas dit merci ! mais, au fond, je crois qu'il m'aime ! *(Apercevant le guichet ouvert.)* Ah ! sapristi ! on distribue les billets !... *(Il se précipite vers la balustrade et bouscule cinq ou six personnes qui font la queue.)*

UN VOYAGEUR. Faites donc attention, monsieur !

L'EMPLOYÉ, *à Perrichon.* Prenez votre tour, vous, là-bas !

PERRICHON, *à part.* Et mes bagages !... et ma femme !... *(Il se met à la queue.)*

Scène 7

LES MÊMES, LE COMMANDANT *suivi de* JOSEPH, *qui porte sa valise.*

LE COMMANDANT. Tu m'entends bien ?[1]

JOSEPH. Oui, mon commandant.

LE COMMANDANT. Tu diras à Anita que tout est fini... bien fini.

JOSEPH. Oui, mon commandant.

LE COMMANDANT. Et si elle demande où je suis... quand je reviendrai... tu répondras que tu n'en sais rien... Je ne veux plus entendre parler d'elle.

JOSEPH. Oui, mon commandant.

PERRICHON. J'ai mes billets !... vite ! à mes bagages ! Quel métier[2] que d'aller à Lyon ! *(Il sort en courant.)*

LE COMMANDANT. Tu m'as bien compris ?

JOSEPH. Sauf votre respect, mon commandant, c'est bien inutile de partir.

---

1. **Tu m'entends bien ? :** tu m'as bien compris ?
2. **Quel métier ! :** quelle complication !

Le commandant. Pourquoi ?...

Joseph. Parce qu'à son retour, mon commandant reprendra mademoiselle Anita.

Le commandant. Oh !

Joseph. Alors, autant vaudrait ne pas la quitter ; les raccommodements[1] coûtent toujours quelque chose à mon commandant.

Le commandant. Ah ! cette fois, c'est sérieux ! Anita s'est rendue indigne de mon affection et des bontés que j'ai pour elle.

Joseph. On peut dire qu'elle vous ruine, mon commandant. Il est encore venu un huissier[2] ce matin... et les huissiers, c'est comme les vers.... quand ça commence à se mettre quelque part...

Le commandant. À mon retour, j'arrangerai toutes mes affaires... Adieu !

Joseph. Adieu, mon commandant.

Le commandant *s'approche du guichet et revient.* Ah ! tu m'écriras à Genève, poste restante[3]... Tu me donneras des nouvelles de ta santé...

Joseph, *flatté.* Mon commandant est bien bon !

Le commandant. Et puis tu me diras si l'on a eu du chagrin en apprenant mon départ... si l'on a pleuré...

Joseph. Qui ça, mon commandant ?...

Le commandant. Eh parbleu ! elle ! Anita !

Joseph. Vous la reprendrez, mon commandant !

Le commandant. Jamais !

Joseph. Ça fera la huitième fois. Ça me fait de la peine de voir un brave homme comme vous harcelé par des créanciers[4]... et pour qui ? pour une...

---

1. **Raccommodements :** réconciliations.
2. **Huissier :** officier ministériel, dont l'une des tâches est de récupérer l'argent dû.
3. **Tu m'écriras à Genève, poste restante :** tu m'écriras en adressant ta lettre à la poste de Genève, où je viendrai la chercher par la suite (ce service est payant).
4. **Créanciers :** personnes à qui le commandant doit de l'argent.

Le commandant. Allons, c'est bien ! donne-moi ma valise, et écris-moi à Genève… demain ou ce soir ! Bonjour ![1]

Joseph. Bon voyage, mon commandant ! *(À part.)* Il sera revenu avant huit jours ! Oh ! les femmes !… et les hommes !… *(Il sort. Le commandant va prendre son billet et entre dans la salle d'attente.)*

Scène 8 Madame Perrichon, Henriette, *puis* Perrichon, un facteur.

Madame Perrichon, *se levant avec sa fille.* Je suis lasse d'être assise !

Perrichon, *entrant en courant.* Enfin ! c'est fini ! j'ai mon bulletin[2] ! je suis enregistré !

Madame Perrichon. Ce n'est pas malheureux !

Le facteur, *poussant son chariot vide, à Perrichon.* Monsieur… n'oubliez pas le facteur, s'il vous plaît…

Perrichon. Ah ! oui… Attendez… *(Se concertant avec sa femme et sa fille.)* Qu'est-ce qu'il faut lui donner à celui-là, dix sous[3] ?…

Madame Perrichon. Quinze.

Henriette. Vingt.

Perrichon. Allons… va pour vingt sous ! *(Les lui donnant.)* Tenez, mon garçon.

Le facteur. Merci, monsieur ! *(Il sort.)*

Madame Perrichon. Entrons-nous ?

Perrichon. Un instant… Henriette, prends ton carnet et écris.

---

1. **Bonjour ! :** salut … et au revoir !
2. **Bulletin :** reçu (du dépôt des bagages).
3. **Dix sous :** un franc égale 20 sous. Un ouvrier gagne à peu près 3 francs de l'heure.

MADAME PERRICHON. Déjà !

PERRICHON, *dictant.* Dépenses : fiacre, deux francs... chemin de fer, cent soixante-douze francs cinq centimes... facteur, un franc.

HENRIETTE. C'est fait !

PERRICHON. Attends ! impression !

MADAME PERRICHON, *à part.* Il est insupportable !

PERRICHON, *dictant.* Adieu, France... reine des nations ! *(S'interrompant.)* Eh bien ! et mon panama ?... je l'aurai laissé aux bagages ! *(Il veut courir.)*

MADAME PERRICHON. Mais non ! le voici !

PERRICHON. Ah ! oui ! *(Dictant.)* Adieu, France ! reine des nations ! *(On entend la cloche et l'on voit accourir plusieurs voyageurs.)*

MADAME PERRICHON. Le signal ! tu vas nous faire manquer le convoi[1] !

PERRICHON. Entrons, nous finirons cela plus tard ! *(L'employé l'arrête à la barrière pour voir les billets. Perrichon querelle sa femme et sa fille, finit par trouver les billets dans sa poche. Ils entrent dans la salle d'attente.)*

Scène 9 ARMAND, DANIEL, *puis* PERRICHON.

Daniel, qui vient de prendre son billet, est heurté par Armand qui veut prendre le sien.

ARMAND. Prenez donc garde !

DANIEL. Faites attention vous-même !

ARMAND. Daniel !

---

1. **Convoi** : train.

DANIEL. Armand !

ARMAND. Vous partez ?

DANIEL. À l'instant ! et vous ?

ARMAND. Moi aussi !

DANIEL. C'est charmant ! nous ferons route ensemble ! j'ai des cigares de première classe… et où allez-vous ?

ARMAND. Ma foi, mon cher ami, je n'en sais rien encore.

DANIEL. Tiens ! c'est bizarre ! ni moi non plus ! J'ai pris un billet jusqu'à Lyon.

ARMAND. Vraiment ? moi aussi ! je me dispose à suivre une demoiselle charmante.

DANIEL. Tiens ! moi aussi.

ARMAND. La fille d'un carrossier !

DANIEL. Perrichon ?

ARMAND. Perrichon !

DANIEL. C'est la même !

ARMAND. Mais je l'aime, mon cher Daniel.

DANIEL. Je l'aime également, mon cher Armand.

ARMAND. Je veux l'épouser !

DANIEL. Moi, je veux la demander en mariage… ce qui est à peu près la même chose.

ARMAND. Mais nous ne pouvons l'épouser tous les deux !

DANIEL. En France, c'est défendu.

ARMAND. Que faire ?

DANIEL. C'est bien simple ! Puisque nous sommes sur le marchepied du wagon, continuons gaiement notre voyage… cherchons à plaire… à nous faire aimer, chacun de notre côté !

ARMAND, *en riant.* Alors, c'est un concours !… un tournoi !…

DANIEL. Une lutte loyale… et amicale… Si vous êtes vainqueur… je m'inclinerai… Si je l'emporte, vous ne me tiendrez pas rancune ! Est-ce dit ?

ARMAND. Soit ! j'accepte.

DANIEL. La main, avant la bataille.

ARMAND. Et la main après. *(Ils se donnent la main.)*

PERRICHON, *entrant en courant. À la cantonade.* Je te dis que j'ai le temps !

DANIEL. Tiens ! notre beau-père !

PERRICHON, *à la marchande de livres.* Madame, je voudrais un livre pour ma femme et ma fille... un livre qui ne parle ni de galanterie, ni d'argent, ni de politique, ni de mariage, ni de mort.

DANIEL, *à part.* Robinson Crusoé[1] !

LA MARCHANDE. Monsieur, j'ai votre affaire. *(Elle lui remet un volume.)*

PERRICHON, *lisant. Les Bords de la Saône* : deux francs ! *(Payant.)* Vous me jurez qu'il n'y a pas de bêtises là-dedans ? *(On entend la cloche.)* Ah diable ! Bonjour, madame. *(Il sort en courant.)*

ARMAND. Suivons-le !

DANIEL. Suivons ! C'est égal, je voudrais bien savoir où nous allons ?... *(On voit courir plusieurs voyageurs. Tableau[2].)*

---

1. **Robinson Crusoé :** héros du roman du même nom de Daniel De Foe (1719), qui raconte comment il a pu survivre sur une île déserte grâce à son courage, sa détermination et surtout son travail.
2. **Tableau :** tous les acteurs s'immobilisent sur scène.

Clefs d'analyse **Acte I,** scènes 5 à 9

Action et personnages

1. Pourquoi le guichet est-il encore fermé (sc. 5) ?
2. Pour quelle raison Madame Perrichon est-elle de mauvaise humeur ? À quoi Monsieur Perrichon l'attribue-t-il (sc. 5) ?
3. Relevez dans la scène 6 tout ce qui confirme que Majorin a l'habitude d'emprunter de l'argent à Perrichon.
4. Quels renseignements obtient-on sur le commandant Mathieu (sc. 7) ? Par quel moyen ?
5. Relevez les informations données dans la scène 8 qui permettent de compléter le portrait de Monsieur et Madame Perrichon.
6. Armand et Daniel se connaissent-ils ? Quels sont leurs traits de caractère communs ?
7. Quel pacte Armand et Daniel passent-ils dans la scène 9 ?

Langue

8. Relevez le champ lexical de l'argent dans l'ensemble de ces scènes.
9. « c'est toujours comme ça » (sc. 6, l. 2) ; « me demander ça » (sc. 6, l. 23) ; « il faut ça » (sc. 6, l. 35) ; « quand ça commence à se mettre quelque part… » (sc. 7, l. 24) ; « ça me fait de la peine » (sc. 7, l. 38). Dans chacune de ces phrases, remplacez « ça » par ce qu'il désigne. Donnez à chaque fois la nature et la fonction de « ça ».
10. Quels sont les différents ordres que le commandant donne à Joseph dans la scène 7 ? Reformulez-les, en employant d'abord l'infinitif puis l'impératif.
11. Observez la ponctuation de la scène 9 et justifiez son emploi.

Genre ou thèmes

12. Que sait le spectateur ou le lecteur à la fin de l'acte I ? Quelle en a été la fonction essentielle ?
13. Par quelle expression synonyme utilisée habituellement au théâtre peut-on remplacer la didascalie « par la gauche » (sc. 5, l. 3) ? Quelle est celle que l'on emploie pour désigner le côté droit de la scène ?

14. Quelles sont les différentes formes de comique utilisées dans l'acte I ? Proposez quelques exemples bien choisis.

Écriture

15. Rédigez le dialogue entre Monsieur Perrichon et l'employé chargé d'enregistrer les bagages.
16. Madame Perrichon pense déjà à marier sa fille. Écrivez son monologue, dans lequel elle fera le portrait du gendre idéal.
17. Rédigez la lettre que Joseph enverra à son maître à Genève, poste restante.
18. Installée dans le train, Henriette écrit une lettre à une amie de pensionnat, dans laquelle elle l'informe de son départ pour la Suisse. Elle lui raconte son arrivée à la gare de Lyon, et sa rencontre fortuite avec Daniel et Armand, en insistant sur ses sentiments. Rédigez sa lettre.

Pour aller plus loin

19. Faites une recherche sur l'éducation des jeunes filles de la bonne bourgeoisie au milieu du XIXe siècle.
20. Le premier acte parle beaucoup d'argent. Relevez toutes les allusions à la richesse, aux revenus, et aux comportements des personnages face à l'argent. Complétez votre relevé en faisant une recherche sur les pratiques financières dans la première moitié du XIXe siècle.

* À retenir

Au tout début d'une pièce de théâtre, l'auteur donne au spectateur les informations essentielles pour qu'il puisse comprendre ce qui s'est passé dans l'histoire avant que la pièce commence. Il lui présente la situation et les relations entre les personnages. Il cherche aussi à capter son attention et à lui donner envie de connaître la suite. C'est ce qu'on appelle l'exposition.

ACTE II

Scène 1 ARMAND, DANIEL, L'AUBERGISTE, UN GUIDE.

Un intérieur d'auberge au Montanvert, près de la mer de Glace. Au fond, à droite, porte d'entrée ; au fond, à gauche, fenêtre ; vue de montagnes couvertes de neige ; à gauche, porte et cheminée haute. À droite, table où est le livre des voyageurs[1]*, et porte.*
Daniel et Armand sont assis à une table et déjeunent.

L'AUBERGISTE. Ces messieurs prendront-ils autre chose ?

DANIEL. Tout à l'heure... du café.

ARMAND. Faites manger le guide ; après, nous partirons pour la mer de Glace.

L'AUBERGISTE. Venez, guide. *(Il sort, suivi du guide, par la droite.)*

DANIEL. Eh bien ! mon cher Armand ?

ARMAND. Eh bien ! mon cher Daniel ?

DANIEL. Les opérations sont engagées, nous avons commencé l'attaque.

ARMAND. Notre premier soin a été de nous introduire dans le même wagon que la famille Perrichon ; le papa avait déjà mis sa calotte[2].

DANIEL. Nous les avons bombardés de prévenances[3], de petits soins.

ARMAND. Vous avez prêté votre journal à monsieur Perrichon, qui a dormi dessus... En échange, il vous a offert *Les Bords de la Saône*... un livre avec des images.

---

1. **Le livre des voyageurs :** registre sur lequel les voyageurs peuvent écrire une pensée, un commentaire. C'est une façon de signaler son passage.
2. **Calotte :** petit bonnet rond qui couvre le sommet du crâne.
3. **Prévenances** : amabilité se manifestant par des attentions délicates.

DANIEL. Et vous, à partir de Dijon, vous avez tenu un store dont la mécanique était dérangée ; ça a dû vous fatiguer.

ARMAND. Oui, mais la maman m'a comblé de pastilles de chocolat.

DANIEL. Gourmand !... vous vous êtes fait nourrir.

ARMAND. À Lyon, nous descendons au même hôtel...

DANIEL. Et le papa, en nous retrouvant, s'écrie : « Ah ! quel heureux hasard ! »...

ARMAND. À Genève, même rencontre... imprévue...

DANIEL. À Chamouny[1], même situation ; et le Perrichon de s'écrier toujours : « Ah ! quel heureux hasard ! »...

ARMAND. Hier soir, vous apprenez que la famille se dispose à venir voir la mer de Glace, et vous venez me chercher dans ma chambre... dès l'aurore... c'est un trait de gentilhomme[2] !

DANIEL. C'est dans notre programme... lutte loyale !... Voulez-vous de l'omelette ?

ARMAND. Merci... Mon cher, je dois vous prévenir... loyalement, que, de Châlon à Lyon, mademoiselle Perrichon m'a regardé trois fois.

DANIEL. Et moi quatre !

ARMAND. Diable ! c'est sérieux !

DANIEL. Ça le sera bien davantage quand elle ne nous regardera plus... Je crois qu'en ce moment elle nous préfère tous les deux... ça peut durer longtemps comme ça ; heureusement que nous sommes gens de loisir[3].

ARMAND. Ah çà ! expliquez-moi comment vous avez pu vous éloigner de Paris, étant le gérant d'une société de paquebots...

DANIEL. « Les Remorqueurs de la Seine »... capital social[4], deux millions. C'est bien simple : je me suis demandé un petit congé, et je n'ai pas hésité à me l'accorder... J'ai de bons employés ; les

---

1. **Chamouny :** ancienne orthographe de Chamonix.
2. **Un trait de gentilhomme :** une marque de noblesse et de distinction dans ses actes.
3. **Gens de loisir :** personnes qui ont du temps.
4. **Capital social :** valeur de la société, représentée par le montant des actions.

paquebots vont tout seuls, et pourvu que je sois à Paris le 8 du mois prochain pour le paiement du dividende… Ah çà ! et vous ?... un banquier !… il me semble que vous pérégrinez beaucoup[1] !

ARMAND. Oh ! ma maison de banque ne m'occupe guère… J'ai associé mes capitaux en réservant la liberté de ma personne, je suis banquier…

DANIEL. Amateur[2] !

ARMAND. Je n'ai, comme vous, affaire à Paris que vers le 8 du mois prochain.

DANIEL. Et, d'ici là, nous allons nous faire une guerre à outrance[3]…

ARMAND. À outrance ! comme deux bons amis… J'ai eu un moment la pensée de vous céder la place ; mais j'aime sérieusement Henriette…

DANIEL. C'est singulier[4]… je voulais vous faire le même sacrifice… sans rire… À Châlon, j'avais envie de décamper[5], mais je l'ai regardée…

ARMAND. Elle est si jolie !

DANIEL. Si douce !

ARMAND. Si blonde !

DANIEL. Il n'y a presque plus de blondes ; et des yeux !

ARMAND. Comme nous les aimons.

DANIEL. Alors je suis resté !

ARMAND. Ah ! je vous comprends !

DANIEL. À la bonne heure ! C'est un plaisir de vous avoir pour ennemi ! *(Lui serrant la main.)* Cher Armand !

---

1. **Vous pérégrinez beaucoup :** vous voyagez beaucoup. Ce verbe, qui avait deux sens, « faire un pèlerinage » et « voyager », n'est plus employé.
2. **Amateur :** pour le plaisir seulement.
3. **À outrance :** qui durera jusqu'à la victoire totale de l'un des combattants.
4. **C'est singulier :** c'est étonnant.
5. **Décamper :** lever le camp, et donc partir.

ARMAND, *de même.* Bon Daniel ! Ah çà ! M. Perrichon n'arrive pas ! Est-ce qu'il aurait changé son itinéraire ? Si nous allions les perdre !...

DANIEL. Diable ! c'est qu'il est capricieux, le bonhomme... Avant-hier il nous a envoyés nous promener à Ferney où nous comptions le retrouver...

ARMAND. Et, pendant ce temps, il était allé à Lausanne.

DANIEL. Eh bien, c'est drôle de voyager comme cela ! *(Voyant Armand qui se lève.)* Où allez-vous donc ?

ARMAND. Je ne tiens pas en place, j'ai envie d'aller au-devant de ces dames.

DANIEL. Et le café ?

ARMAND. Je n'en prendrai pas... Au revoir ! *(Il sort vivement par le fond.)*

Scène 2

DANIEL, *puis* L'AUBERGISTE, *puis* LE GUIDE.

DANIEL. Quel excellent garçon ! c'est tout cœur, tout feu... mais ça ne sait pas vivre ; il est parti sans prendre son café ! *(Appelant.)* Holà !... monsieur l'aubergiste !

L'AUBERGISTE, *paraissant.* Monsieur ?

DANIEL. Le café. *(L'aubergiste sort. Daniel allume un cigare.)* Hier, j'ai voulu faire fumer le beau-père... ça ne lui a pas réussi...

L'AUBERGISTE, *apportant le café.* Monsieur est servi.

DANIEL, *s'asseyant derrière la table devant la cheminée et étendant une jambe sur la chaise d'Armand.* Approchez cette chaise... très bien... *(Il a désigné une autre chaise, il y étend l'autre jambe.)* Merci !... Ce pauvre Armand ! il court sur la grande route, lui, en plein soleil… et moi, je m'étends ! Qui arrivera le premier de nous deux ? Nous avons la *Fable du Lièvre et de la Tortue.*

L'AUBERGISTE, *lui présentant un registre.* Monsieur veut-il écrire quelque chose sur le livre des voyageurs ?

DANIEL. Moi ?… je n'écris jamais après mes repas, rarement avant… Voyons les pensées délicates et ingénieuses des visiteurs. *(Il feuillette le livre, lisant.)* « Je ne me suis jamais mouché si haut !… » Signé : « Un voyageur enrhumé… » *(Il continue à feuilleter.)* Oh ! la belle écriture ! *(Lisant.)* « Qu'il est beau d'admirer les splendeurs de la nature, entouré de sa femme et de sa nièce !… » Signé : « Malaquais, rentier[1]… » Je me suis toujours demandé pourquoi les Français, si spirituels[2] chez eux, sont si bêtes en voyage ! *(Cris et tumulte au dehors.)*

L'AUBERGISTE. Ah ! mon Dieu !

DANIEL. Qu'y a-t-il ?

---

1. **Rentier :** personne qui vit des revenus de ses biens (obtenus en louant des immeubles ou en plaçant son argent, par exemple).
2. **Spirituels :** pleins de finesse et d'à-propos.

Clefs d'analyse Acte II, scènes 1 et 2

Action et personnages

1. Où se trouvent les personnages ?
2. Que s'est-il passé entre les deux actes et combien de temps s'est-il écoulé ?
3. Pourquoi Daniel et Armand ont-ils décidé de venir voir la mer de Glace ?
4. Qu'apprend-on sur la situation sociale de Daniel et Armand ?
5. Daniel et Armand ont-il exactement le même caractère ? Indiquez en quoi ils sont ressemblants et en quoi ils diffèrent.

Langue

6. Observez les pronoms personnels dans la scène 1, de la ligne 6 à 40. Dites à quels personnages renvoient « nous », « vous », « je » et « elle ». Pourquoi l'auteur les a-t-il privilégiés ?
7. Comment pouvez-vous justifier le changement de temps employé par Daniel et Armand dans la scène 1 à partir de la ligne 22 ?
8. Relevez les différents termes de reprise employés par Daniel et Armand pour désigner les membres de la famille Perrichon. Quelle remarque ce relevé vous suggère-t-il ?
9. Relevez le champ lexical de la lutte dans l'ensemble de la scène 1.
10. Donnez d'autres mots de la famille de « pérégrinez » (sc. 1, l. 48).

Genre ou thèmes

11. Par quel moyen le spectateur est-il tenu informé de l'évolution de l'action dans ces deux scènes ?
12. La « lutte » entreprise par Daniel et Armand vous paraît-elle crédible et réaliste ? Pour quelle raison l'auteur l'a-t-il mise en place ?
13. Quelle est la fonction du livre des voyageurs dans la scène 2 ?
14. Quelle forme de comique l'auteur a-t-il privilégiée dans ces deux scènes ? Relevez des exemples variés.

15. Par quel moyen le metteur en scène peut-il donner du mouvement à ces deux scènes, alors que Daniel et Armand sont assis et ne bougent pas ?

Écriture

16. Imaginez la conversation entre la famille Perrichon et les deux jeunes gens, dans le wagon, durant le voyage. Rédigez un dialogue dans lequel vous donnerez la parole à part égale à chacun des personnages.
17. Daniel rencontre un ami, à qui il explique les raisons de sa présence à Chamonix, et à qui il fait part de ses sentiments à l'égard d'Armand.
18. Imaginez d'autres « pensées délicates et ingénieuses » que Daniel pourrait lire sur le livre des voyageurs.

Pour aller plus loin

19. Sur une carte de France, tracez l'itinéraire des voyageurs. Utilisez au besoin des couleurs différentes.
20. Faites un plan du décor, et proposez différents éléments et accessoires qui compléteront les indications fournies par Labiche. Pour cela, rédigez une fiche descriptive la plus complète possible.
21. Chacun défendra ensuite sa proposition à l'oral devant l'ensemble de la classe, qui devra ensuite opter pour un projet, en justifiant son choix.

* À retenir

L'interlocuteur peut s'amuser de ce qui est dit, ce qui est fait, ce qui est sous-entendu, ce qui est exagéré, de la situation dans laquelle on se trouve, des défauts présentés, des maladresses, des bévues… Généralement, on classe les formes du comique dans les catégories suivantes, qui peuvent se cumuler : comique de mots, de gestes, de situation, de caractère et de répétition.

Scène 3 DANIEL, PERRICHON, ARMAND, MADAME PERRICHON, HENRIETTE, L'AUBERGISTE.

Perrichon entre, soutenu par sa femme et le guide.

ARMAND. Vite, de l'eau ! du sel ! du vinaigre ![1]

DANIEL. Qu'est-il donc arrivé ?

HENRIETTE. Mon père a manqué de se tuer !

DANIEL. Est-il possible ?

PERRICHON, *assis.* Ma femme !... ma fille !... Ah ! je me sens mieux !...

HENRIETTE, *lui présentant un verre d'eau sucrée.* Tiens !... bois ! ça te remettra...

PERRICHON. Merci... quelle culbute ! *(Il boit.)*

MADAME PERRICHON. C'est ta faute aussi... vouloir monter à cheval, un père de famille !... et avec des éperons encore !

PERRICHON. Les éperons n'y sont pour rien... c'est la bête qui est ombrageuse[2].

MADAME PERRICHON. Tu l'auras piquée sans le vouloir, elle s'est cabrée...

HENRIETTE. Et sans monsieur Armand qui venait d'arriver... mon père disparaissait dans un précipice...

MADAME PERRICHON. Il y était déjà... je le voyais rouler comme une boule... nous poussions des cris !...

HENRIETTE. Alors, monsieur s'est élancé !...

MADAME PERRICHON. Avec un courage, un sang-froid !... Vous êtes notre sauveur... car, sans vous, mon mari... mon pauvre ami... *(Elle éclate en sanglots.)*

---

1. **Du sel ! du vinaigre ! :** Armand demande des sels médicinaux et du vinaigre pharmaceutique, que l'on utilisait alors pour ranimer les personnes victimes d'un malaise.
2. **Ombrageuse :** qui s'effraie facilement, et de n'importe quoi.

ARMAND. Il n'y a plus de danger… calmez-vous !

MADAME PERRICHON, *pleurant toujours.* Non ! ça me fait du bien ! *(À son mari.)* Ça t'apprendra à mettre des éperons. *(Sanglotant plus fort.)* Tu n'aimes pas ta famille.

HENRIETTE, *à Armand.* Permettez-moi d'ajouter mes remerciements à ceux de ma mère ; je garderai toute ma vie le souvenir de cette journée… toute ma vie !…

ARMAND. Ah ! mademoiselle !

PERRICHON, *à part.* À mon tour !… *(Haut.)* Monsieur Armand !… non, laissez-moi vous appeler Armand !

ARMAND. Comment donc !

PERRICHON. Armand… donnez-moi la main… Je ne sais pas faire de phrases, moi… mais, tant qu'il battra, vous aurez une place dans le cœur de Perrichon ! *(Lui serrant la main.)* Je ne vous dis que cela !

MADAME PERRICHON. Merci, monsieur Armand !

HENRIETTE. Merci, monsieur Armand !

ARMAND. Mademoiselle Henriette !

DANIEL, *à part.* Je commence à croire que j'ai eu tort de prendre mon café !

MADAME PERRICHON, *à l'aubergiste.* Vous ferez reconduire le cheval, nous retournerons tous en voiture…

PERRICHON, *se levant.* Mais je t'assure, ma chère amie, que je suis assez bon cavalier… *(Poussant un cri.)* Aïe !

TOUS. Quoi ?

PERRICHON. Rien !… les reins ! Vous ferez reconduire le cheval !

MADAME PERRICHON. Viens te reposer un moment. Au revoir, monsieur Armand !

HENRIETTE. Au revoir, monsieur Armand !

PERRICHON, *serrant énergiquement la main d'Armand.* À bientôt… Armand ! *(Poussant un second cri.)* Aïe !… j'ai trop serré ! *(Il entre par la gauche, suivi de sa femme et de sa fille.)*

Scène 4 ARMAND, DANIEL.

ARMAND. Qu'est-ce que vous dites de cela, mon cher Daniel ?

DANIEL. Que voulez-vous ? c'est de la veine !... vous sauvez le père, vous cultivez le précipice[1], ce n'était pas dans le programme !

ARMAND. C'est bien le hasard...

DANIEL. Le papa vous appelle Armand, la mère pleure et la fille vous décoche[2] des phrases bien senties... empruntées aux plus belles pages de M. Bouilly[3]... Je suis vaincu, c'est clair ! et je n'ai plus qu'à vous céder la place...

ARMAND. Allons donc ! vous plaisantez...

DANIEL. Je plaisante si peu que, dès ce soir, je pars pour Paris...

ARMAND. Comment ?

DANIEL. Où vous retrouverez un ami... qui vous souhaite bonne chance !

ARMAND. Vous partez ! ah ! merci !

DANIEL. Voilà un cri du cœur !

ARMAND. Ah ! pardon ! je le retire !... après le sacrifice que vous me faites...

DANIEL. Moi ? entendons-nous bien... Je ne vous fais pas le plus léger sacrifice. Si je me retire, c'est que je ne crois avoir aucune chance de réussir ; car, maintenant encore, s'il s'en présentait une... même petite, je resterais.

---

1. **Vous cultivez le précipice :** vous profitez du précipice (dans lequel Perrichon est tombé).
2. **Décoche :** envoie vivement.
3. **M. Bouilly :** Jean-Nicolas Bouilly (1763-1842), avocat parisien et homme politique, qui prit part à l'organisation de l'enseignement primaire après la Révolution. Il écrivit des recueils de contes pour les adolescents (*Contes à ma fille* (1809) ; *Contes offerts aux enfants de France* (1824-1825), assez moralisateurs et ennuyeux, et qui se démodèrent très vite.

Armand. Ah !

Daniel. Est-ce singulier ! Depuis qu'Henriette m'échappe, il me semble que je l'aime davantage.

Armand. Je comprends cela... aussi, je ne vous demanderai pas le service que je voulais vous demander...

Daniel. Quoi donc ?

Armand. Non, rien...

Daniel. Parlez... je vous en prie.

Armand. J'avais songé... puisque vous partez, à vous prier de voir monsieur Perrichon, de lui toucher quelques mots de ma position[1], de mes espérances[2].

Daniel. Ah ! diable !

Armand. Je ne puis le faire moi-même... j'aurais l'air de réclamer le prix du service que je viens de lui rendre.

Daniel. Enfin, vous me priez de faire la demande pour vous ? Savez-vous que c'est original, ce que vous me demandez là !

Armand. Vous refusez ?...

Daniel. Ah ! Armand ! j'accepte !

Armand. Mon ami !

Daniel. Avouez que je suis un bien bon petit rival, un rival qui fait la demande ! *(Voix de Perrichon dans la coulisse.)* J'entends le beau-père ! Allez fumer un cigare et revenez !

Armand. Vraiment ! je ne sais comment vous remercier...

Daniel. Soyez tranquille, je vais faire vibrer chez lui la corde de la reconnaissance. *(Armand sort par le fond.)*

---

1. **Ma position** : ma position sociale actuelle et les biens que je possède.
2. **Mes espérances** : les biens qui doivent me revenir par héritage.

Scène 5 DANIEL, PERRICHON, *puis* L'AUBERGISTE.

PERRICHON, *entrant et parlant à la cantonade*. Mais certainement il m'a sauvé ! certainement il m'a sauvé, et, tant que battra le cœur de Perrichon… Je le lui ai dit…

DANIEL. Eh bien ! monsieur Perrichon… vous sentez-vous mieux ?

PERRICHON. Ah ! je suis tout à fait remis… je viens de boire trois gouttes de rhum dans un verre d'eau, et dans un quart d'heure, je compte gambader sur la mer de Glace. Tiens, votre ami n'est plus là ?

DANIEL. Il vient de sortir.

PERRICHON. C'est un brave jeune homme !… ces dames l'aiment beaucoup.

DANIEL. Oh ! quand elles le connaîtront davantage !… un cœur d'or ! obligeant, dévoué, et d'une modestie !…

PERRICHON. Oh ! c'est rare.

DANIEL. Et puis il est banquier… c'est un banquier !…

PERRICHON. Ah !

DANIEL. Associé de la maison Turneps, Desroches et Cie. Dites donc, c'est assez flatteur d'être repêché par un banquier… car enfin, il vous a sauvé !… Hein ? sans lui !…

PERRICHON. Certainement… certainement. C'est très gentil ce qu'il a fait là !

DANIEL, *étonné*. Comment, gentil !

PERRICHON. Est-ce que vous allez vouloir atténuer le mérite de son action ?

DANIEL. Par exemple !

PERRICHON. Ma reconnaissance ne finira qu'avec ma vie… Çà !… tant que le cœur de Perrichon battra… Mais, entre nous, le service qu'il m'a rendu n'est pas aussi grand que ma femme et ma fille veulent bien le dire.

DANIEL, *étonné.* Ah bah !

PERRICHON. Oui. Elles se montent la tête. Mais, vous savez, les femmes !...

DANIEL. Cependant, quand Armand vous a arrêté, vous rouliez...

PERRICHON. Je roulais, c'est vrai... Mais avec une présence d'esprit étonnante... J'avais aperçu un petit sapin après lequel j'allais me cramponner ; je le tenais déjà quand votre ami est arrivé.

DANIEL, *à part.* Tiens, tiens ! vous allez voir qu'il s'est sauvé tout seul.

PERRICHON. Au reste, je ne lui sais pas moins gré[1] de sa bonne intention... Je compte le revoir... lui réitérer[2] mes remerciements... je l'inviterai même cet hiver.

DANIEL, *à part.* Une tasse de thé !

PERRICHON. Il paraît que ce n'est pas la première fois qu'un pareil accident arrive à cet endroit-là... c'est un mauvais pas[3]... L'aubergiste vient de me raconter que, l'an dernier, un Russe... un prince... très bon cavalier !... car ma femme a beau dire, ça ne tient pas à mes éperons !... avait roulé dans le même trou.

DANIEL. En vérité !

PERRICHON. Son guide l'a retiré... Vous voyez ! qu'on s'en retire parfaitement. Eh bien ! le Russe lui a donné cent francs !

DANIEL. C'est très bien payé !

PERRICHON. Je le crois bien !... Pourtant c'est ce que ça vaut !...

DANIEL. Pas un sou de plus. *(À part.)* Oh ! mais je ne pars pas.

PERRICHON, *remontant*[4]. Ah çà ! ce guide n'arrive pas ?

DANIEL. Est-ce que ces dames sont prêtes ?

PERRICHON. Non... elles ne viendront pas : vous comprenez ?... mais je compte sur vous.

---

1. **Je ne lui sais pas moins gré :** ce n'est pas pour autant que je ne lui suis pas reconnaissant.
2. **Réitérer :** renouveler.
3. **Un mauvais pas :** un passage dangereux.
4. **Remontant :** se dirigeant vers le fond de la scène.

DANIEL. Et sur Armand ?

PERRICHON. S'il veut être des nôtres, je ne refuserai certainement pas la compagnie de M. Desroches.

DANIEL, *à part.* M. Desroches ! Encore un peu et il va le prendre en grippe !

L'AUBERGISTE, *entrant par la droite.* Monsieur !...

PERRICHON. Eh bien ! ce guide ?

L'AUBERGISTE. Il est à la porte... Voici vos chaussons[1].

PERRICHON. Ah ! oui ! il paraît qu'on glisse dans les crevasses là-bas... et, comme je ne veux avoir d'obligation à personne[2]...

L'AUBERGISTE *lui présentant le registre.* Monsieur écrit-il sur le livre des voyageurs ?

PERRICHON. Certainement... mais je ne voudrais pas écrire quelque chose d'ordinaire... il me faudrait... là... une pensée !... une jolie pensée !... *(Rendant le livre à l'aubergiste.)* Je vais y rêver en mettant mes chaussons. *(À Daniel.)* Je suis à vous dans la minute. *(Il entre à droite, suivi de l'aubergiste.)*

Scène 6 DANIEL, *puis* ARMAND.

DANIEL, *seul.* Ce carrossier est un trésor d'ingratitude. Or, les trésors appartiennent à ceux qui les trouvent, article 716 du Code civil...

ARMAND, *paraissant à la porte du fond.* Eh bien ?

DANIEL, *à part.* Pauvre garçon !

ARMAND. L'avez-vous vu ?

---

1. **Chaussons :** morceaux de tissu antidérapant que l'on met par-dessus les chaussures.

2. **Je ne veux avoir d'obligation à personne :** je ne veux rien devoir à personne.

DANIEL. Oui.

ARMAND. Lui avez-vous parlé ?

DANIEL. Je lui ai parlé.

ARMAND. Alors vous avez fait ma demande ?...

DANIEL. Non.

ARMAND. Tiens ! pourquoi ?

DANIEL. Nous nous sommes promis d'être francs vis-à-vis l'un de l'autre... Eh bien ! mon cher Armand, je ne pars plus, je continue la lutte.

ARMAND, *étonné.* Ah ! c'est différent !... et peut-on vous demander les motifs qui ont changé votre détermination ?

DANIEL. Les motifs... j'en ai un puissant : je crois réussir.

ARMAND. Vous ?

DANIEL. Je compte prendre un autre chemin que le vôtre et arriver plus vite.

ARMAND. C'est très bien... vous êtes dans votre droit...

DANIEL. Mais la lutte n'en continuera pas moins loyale et amicale ?

ARMAND. Oui.

DANIEL. Voilà un oui un peu sec !

ARMAND. Pardon !... *(Lui tendant la main.)* Daniel, je vous le promets...

DANIEL. À la bonne heure ! *(Il remonte.)*

Scène 7 LES MÊMES, PERRICHON, *puis* L'AUBERGISTE.

PERRICHON. Je suis prêt... j'ai mis mes chaussons... Ah ! monsieur Armand !

ARMAND. Vous sentez-vous remis de votre chute ?

PERRICHON. Tout à fait ! ne parlons plus de ce petit accident… c'est oublié !

DANIEL, *à part.* Oublié ! Il est plus vrai que nature…

PERRICHON. Nous partons pour la mer de Glace… êtes-vous des nôtres ?

ARMAND. Je suis un peu fatigué… je vous demanderai la permission de rester…

PERRICHON, *avec empressement.* Très volontiers ! ne vous gênez pas ! *(À l'aubergiste qui entre.)* Ah ! monsieur l'aubergiste, donnez-moi le livre des voyageurs. *(Il s'assied à droite et écrit.)*

DANIEL, *à part.* Il paraît[1] qu'il a trouvé sa pensée… la jolie pensée.

PERRICHON, *achevant d'écrire.* Là… voilà ce que c'est ! *(Lisant avec emphase[2].)* « Que l'homme est petit quand on le contemple du haut de la *mère* de Glace ! »

DANIEL. Sapristi ! c'est fort !

ARMAND, *à part.* Courtisan ![3]

PERRICHON, *modestement.* Ce n'est pas l'idée de tout le monde.

DANIEL, *à part.* Ni l'orthographe ; il a écrit *mère, r, e, re* !

PERRICHON, *à l'aubergiste, lui montrant le livre ouvert sur la table.* Prenez garde ! c'est frais !

L'AUBERGISTE. Le guide attend ces messieurs avec les bâtons ferrés[4].

PERRICHON. Allons ! en route !

DANIEL. En route ! *(Daniel et Perrichon sortent, suivis de l'aubergiste.)*

---

1. **Il paraît :** on dirait.
2. **Avec emphase :** en exagérant les effets de style.
3. **Courtisan ! :** flatteur !
4. **Bâtons ferrés :** bâtons pourvus de pointes de fer qui servent aux randonneurs à se maintenir en sécurité dans les passages dangereux ou glissants.

Clefs d'analyse

Acte II, scènes 3 à 7

Action et personnages

1. Qu'est-il arrivé à Monsieur Perrichon ?
2. À qui Henriette et Madame Perrichon s'adressent-elles dans la scène 3, à partir de la ligne 16 ?
3. Quels reproches Madame Perrichon adresse-t-elle à son mari dans la scène 3 ?
4. Pourquoi Daniel décide-t-il de partir dans la scène 4 ? Qu'est-ce qui le fait changer d'avis dans la scène 6 ?
5. Pourquoi Armand veut-il faire connaître sa situation financière à Monsieur Perrichon ?
6. À partir de quel détail Daniel se rend-il compte du ressentiment de Monsieur Perrichon à l'égard d'Armand ?
7. Relevez tous les arguments mis en avant par Perrichon pour minimiser le rôle d'Armand dans son sauvetage (sc. 5).

Langue

8. « je vais faire vibrer chez lui la corde de la reconnaissance » (sc. 4, l. 45). Comment nomme-t-on cette figure de style ? Retrouvez d'autres exemples dans les scènes suivantes.
9. « il va le prendre en grippe ! » (sc. 5, l. 61). Expliquez cette expression en vous appuyant sur l'étymologie du mot « grippe ».
10. Dans la scène 6, relevez quatre phrases de type différent et trois phrases de forme différente.
11. « ce n'est pas l'idée de tout le monde » (sc. 7, l. 20). Comment nomme-t-on cette figure de style ?
12. Quel type d'erreur d'orthographe Monsieur Perrichon a-t-il fait dans la scène 7 ? Proposez d'autres exemples.
13. Observez la ponctuation. Quelles sont les différentes fonctions des points de suspension dans ces cinq scènes ?

Genre ou thèmes

14. Par quel moyen le spectateur est-il tenu informé de ce qui s'est passé hors scène ?

15. Comment nomme-t-on le procédé choisi par Labiche pour faire avancer l'intrigue ?
16. La formulation des remerciements dans la scène 3 est-elle plutôt émouvante ou plutôt comique ?
17. À quoi servent les apartés de Daniel dans les scènes 5, 6 et 7 ? Comment comprenez-vous en particulier celui de la ligne 42, scène 5 : « Une tasse de thé ! » ?
18. Pourquoi la « pensée » inscrite par Monsieur Perrichon sur le livre des voyageurs est-elle particulièrement comique ?

Écriture

19. Un touriste a assisté à la scène du sauvetage. Il raconte ensuite l'événement à sa femme.
20. Tout émues, Henriette et sa mère commentent l'événement entre elles. Rédigez leur dialogue.
21. Il vous est peut-être déjà arrivé de « sauver » quelqu'un. Racontez avec précision, sans oublier les circonstances. À la fin de votre devoir, vous insisterez sur les sentiments que cet événement provoque en vous actuellement.

Pour aller plus loin

22. Faites une recherche sur les différents loisirs pratiqués par les gens fortunés à l'époque de Labiche.
23. Faites une recherche sur l'équipement du randonneur en montagne à l'époque de Monsieur Perrichon.

✻ À retenir

On désigne par « coup de théâtre » un événement surprenant qui vient modifier le cours de l'action. Même s'il est inattendu, il n'est pas pour autant extraordinaire. Il permet de relancer l'intérêt des spectateurs. L'expression « Deus ex machina », qui signifie en latin « dieu venu du ciel au moyen d'une machine », désigne un coup de théâtre spectaculaire et complètement invraisemblable.

Scène 8 ARMAND, *puis* L'AUBERGISTE ET LE COMMANDANT MATHIEU.

ARMAND. Quel singulier revirement chez Daniel ! Ces dames sont là... elles ne peuvent tarder à sortir, je veux les voir... leur parler... *(S'asseyant vers la cheminée et prenant un journal.)* Je vais les attendre.

L'AUBERGISTE, *à la cantonade.* Par ici, monsieur !...

LE COMMANDANT, *entrant.* Je ne reste qu'une minute... je repars à l'instant pour la mer de Glace... *(S'asseyant devant la table sur laquelle est resté le registre ouvert.)* Faites-moi servir un grog au kirsch[1], je vous prie.

L'AUBERGISTE, *sortant par la droite.* Tout de suite, monsieur.

LE COMMANDANT, *apercevant le registre.* Ah ! ah ! le livre des voyageurs ! voyons... *(Lisant.)* « Que l'homme est petit quand on le contemple du haut de la *mère* de Glace !... » Signé Perrichon... *Mère* ! Voilà un monsieur qui mérite une leçon d'orthographe.

L'AUBERGISTE, *apportant le grog.* Voici, monsieur. *(Il le pose sur la table à gauche.)*

LE COMMANDANT, *tout en écrivant sur le registre.* Ah, monsieur l'aubergiste...

L'AUBERGISTE. Monsieur ?

LE COMMANDANT. Vous n'auriez pas, parmi les personnes qui sont venues chez vous ce matin, un voyageur du nom d'Armand Desroches ?

ARMAND. Hein ?... c'est moi, monsieur.

LE COMMANDANT, *se levant.* Vous, monsieur !... pardon ! *(À l'aubergiste.)* Laissez-nous. *(L'aubergiste sort.)* C'est bien à monsieur Armand Desroches de la maison Turneps, Desroches et Cie que j'ai l'honneur de parler ?

---

1. **Un grog au kirsch** : boisson chaude à base d'eau sucrée et d'eau de vie de cerises.

ARMAND. Oui, monsieur.

LE COMMANDANT. Je suis le commandant Mathieu. *(Il s'assied à gauche et prend son grog.)*

ARMAND. Ah ! enchanté !... mais je ne crois pas avoir l'avantage de vous connaître, commandant.

LE COMMANDANT. Vraiment ? Alors je vous apprendrai que vous me poursuivez à outrance pour une lettre de change[1] que j'ai eu l'imprudence de mettre dans la circulation...

ARMAND. Une lettre de change !

LE COMMANDANT. Vous avez même obtenu contre moi une prise de corps[2].

ARMAND. C'est possible, commandant, mais ce n'est pas moi, c'est la maison qui agit.

LE COMMANDANT. Aussi n'ai-je aucun ressentiment contre vous... ni contre votre maison... Seulement, je tenais à vous dire que je n'avais pas quitté Paris pour échapper aux poursuites.

ARMAND. Je n'en doute pas.

LE COMMANDANT. Au contraire !... Dès que je serai de retour à Paris, dans une quinzaine, avant peut-être... je vous le ferai savoir, et je vous serai infiniment obligé de me faire mettre à Clichy[3]... le plus tôt possible.

ARMAND. Vous plaisantez, commandant...

LE COMMANDANT. Pas le moins du monde !... Je vous demande cela comme un service...

ARMAND. J'avoue que je ne comprends pas...

LE COMMANDANT *(Ils se lèvent.)* Mon Dieu ! je suis moi-même un peu embarrassé pour vous expliquer... Pardon, êtes-vous garçon ?[4]

---

1. **Une lettre de change :** document officiel par lequel le commandant s'est engagé auprès d'un créancier à faire régler par sa banque une somme qu'il lui doit, à une date fixée.
2. **Une prise de corps :** une mesure d'arrestation.
3. **À Clichy :** on incarcérait les personnes condamnées pour dettes dans une prison située rue de Clichy.
4. **Garçon ? :** célibataire ?

ARMAND. Oui, commandant.

LE COMMANDANT. Oh ! alors ! je puis vous faire ma confession… J'ai le malheur d'avoir une faiblesse… J'aime.

ARMAND. Vous ?

LE COMMANDANT. C'est bien ridicule à mon âge, n'est-ce pas ?

ARMAND. Je ne dis pas ça.

LE COMMANDANT. Oh ! ne vous gênez pas ! Je me suis affolé d'une petite... égarée que j'ai rencontrée un soir au bal Mabille[1]... Elle se nomme Anita…

ARMAND. Anita ! J'en ai connu une.

LE COMMANDANT. Ce doit être celle-là !... Je comptais m'en amuser trois jours et voilà trois ans qu'elle me tient ! Elle me trompe, elle me ruine, elle me rit au nez ! Je passe ma vie à lui acheter des mobiliers... qu'elle revend le lendemain ! Je veux la quitter, je pars, je fais deux cents lieues[2] ; j'arrive à la mer de Glace… et je ne suis pas sûr de ne pas retourner ce soir à Paris !… C'est plus fort que moi !… L'amour à cinquante ans… voyez-vous… c'est comme un rhumatisme, rien ne le guérit.

ARMAND, *riant.* Commandant, je n'avais pas besoin de cette confidence pour arrêter les poursuites… je vais écrire immédiatement à Paris…

LE COMMANDANT, *vivement.* Mais du tout ! n'écrivez pas ! Je tiens à être enfermé ; c'est peut-être un moyen de guérison. Je n'en ai pas encore essayé.

ARMAND. Mais cependant…

LE COMMANDANT. Permettez ! j'ai la loi pour moi.

ARMAND. Allons, commandant ! puisque vous le voulez…

---

1. **Bal Mabille :** établissement fondé en 1840 par le danseur Mabille, avenue Montaigne, située alors aux portes de Paris. Des danseurs illustres y débutèrent. Il était réputé pour les rencontres galantes que l'on pouvait y faire. La salle fut démolie en 1875.
2. **Deux cents lieues :** la lieue est une ancienne mesure de longueur, qui équivaut à environ 4 km.

LE COMMANDANT. Je vous en prie... instamment[1]... Dès que je serai de retour... je vous ferai passer ma carte[2] et vous pourrez faire instrumenter[3]... Je ne sors jamais avant dix heures. *(Saluant.)* Monsieur, je suis bien heureux d'avoir eu l'honneur de faire votre connaissance.

ARMAND. Mais c'est moi, commandant... *(Ils se saluent. Le commandant sort par le fond.)*

Scène 9 ARMAND, *puis* MADAME PERRICHON, *puis* HENRIETTE.

ARMAND. À la bonne heure ! il n'est pas banal[4] celui-là ! *(Apercevant Mme Perrichon qui entre de la gauche.)* Ah ! madame Perrichon !

MADAME PERRICHON. Comment ! vous êtes seul, monsieur ? Je croyais que vous deviez accompagner ces messieurs.

ARMAND. Je suis déjà venu ici l'année dernière, et j'ai demandé à monsieur Perrichon la permission de me mettre à vos ordres.

MADAME PERRICHON. Ah ! monsieur. *(À part.)* C'est tout à fait un homme du monde !... *(Haut.)* Vous aimez beaucoup la Suisse ?

ARMAND. Il faut bien aller quelque part.

MADAME PERRICHON. Oh ! moi, je ne voudrais pas habiter ce pays-là... il y a trop de précipices et de montagnes... Ma famille est de la Beauce[5]...

1. **Instamment :** en insistant.
2. **Ma carte :** ma carte de visite (sur laquelle se trouvent toutes les coordonnées dont on peut avoir besoin).
3. **Faire instrumenter :** faire dresser un procès-verbal.
4. **Banal :** ordinaire.
5. **La Beauce :** région du Bassin parisien, constituée d'un vaste plateau particulièrement fertile, et dans laquelle on cultive d'immenses champs de céréales et de betteraves à sucre.

ARMAND. Ah ! je comprends.

MADAME PERRICHON. Près d'Étampes…

ARMAND, *à part.* Nous devons avoir un correspondant à Étampes ; ce serait un lien. *(Haut.)* Vous ne connaissez pas M. Pingley, à Étampes ?

MADAME PERRICHON. Pingley !... c'est mon cousin ! Vous le connaissez ?

ARMAND. Beaucoup. *(À part.)* Je ne l'ai jamais vu !

MADAME PERRICHON. Quel homme charmant !

ARMAND. Ah ! oui !

MADAME PERRICHON. C'est un bien grand malheur qu'il ait son infirmité !

ARMAND. Certainement… c'est un bien grand malheur !

MADAME PERRICHON. Sourd à quarante-sept ans !

ARMAND, *à part.* Tiens ! il est sourd, notre correspondant[1] ! C'est donc pour ça qu'il ne répond jamais à nos lettres.

MADAME PERRICHON. Est-ce singulier ! c'est un ami de Pingley qui sauve mon mari !... Il y a de bien grands hasards dans le monde.

ARMAND. Souvent aussi on attribue au hasard des péripéties[2] dont il est parfaitement innocent.

MADAME PERRICHON. Ah ! oui… souvent aussi on attribue… *(À part.)* Qu'est-ce qu'il veut dire ?

ARMAND. Ainsi, madame, notre rencontre en chemin de fer, puis à Lyon, puis à Genève, à Chamouny, ici même, vous mettez tout cela sur le compte du hasard ?

MADAME PERRICHON. En voyage, on se retrouve…

ARMAND. Certainement… surtout quand on se cherche.

MADAME PERRICHON. Comment ?…

---

1. **Un correspondant** : un représentant (de la société).

2. **Péripéties** : incidents.

ARMAND. Oui, madame, il ne m'est pas permis de jouer plus longtemps la comédie du hasard ; je vous dois là vérité, pour vous, pour mademoiselle votre fille.

MADAME PERRICHON. Ma fille !

ARMAND. Me pardonnerez-vous ? Le jour où je la vis, j'ai été touché, charmé... J'ai appris que vous partiez pour la Suisse... et je suis parti.

MADAME PERRICHON. Mais alors, vous nous suivez ?...

ARMAND. Pas à pas... Que voulez-vous ? j'aime !

MADAME PERRICHON. Monsieur !

ARMAND. Oh ! rassurez-vous ! j'aime avec tout le respect, toute la discrétion qu'on doit à une jeune fille dont on serait heureux de faire sa femme.

MADAME PERRICHON, *perdant la tête, à part.* Une demande en mariage ! Et Perrichon qui n'est pas là ! *(Haut.)* Certainement, monsieur... je suis charmée... non, flattée !... parce que vos manières... votre éducation... Pingley... le service que vous nous avez rendu... mais monsieur Perrichon est sorti... pour la mer de Glace... et aussitôt qu'il rentrera...

HENRIETTE, *entrant vivement.* Maman !... *(S'arrêtant.)* Ah ! tu causais avec monsieur Armand ?

MADAME PERRICHON, *troublée.* Nous causions, c'est-à-dire, oui ! nous parlions de Pingley ! Monsieur connaît Pingley ; n'est-ce pas ?

ARMAND. Certainement, je connais Pingley !

HENRIETTE. Oh ! quel bonheur !

MADAME PERRICHON, *à Henriette.* Ah ! comme tu es coiffée... et ta robe ! ton col ! *(Bas.)* Tiens-toi donc droite !

HENRIETTE, *étonnée.* Qu'est-ce qu'il y a ? *(Cris et tumulte au dehors.)*

MADAME PERRICHON ET HENRIETTE. Ah ! mon Dieu !

ARMAND. Ces cris !...

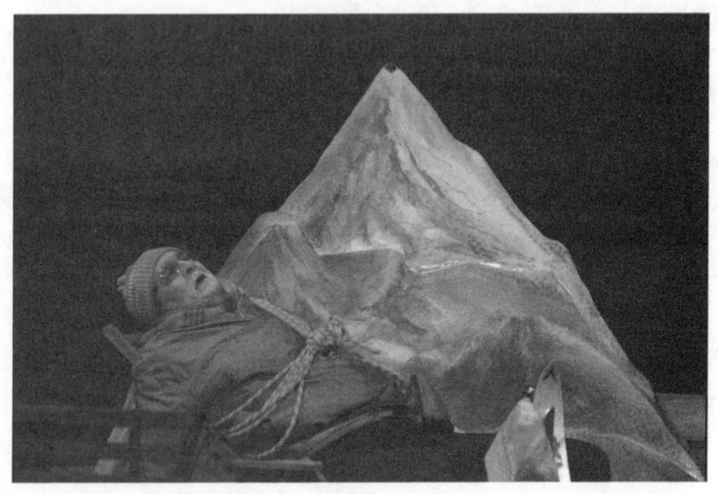

Le Voyage de Monsieur Perrichon, mise en scène de Laurent Pelly.
Avec Bruno Raffaelli. Maison de la Culture de Loire Atlantique, Nantes,
le 20 septembre 2002.

Scène 10 LES MÊMES, PERRICHON, DANIEL, LE GUIDE, L'AUBERGISTE.

Daniel entre soutenu par l'aubergiste et par le guide.

PERRICHON, *très ému.* Vite ! de l'eau ! du sel ! du vinaigre ! *(Il fait asseoir Daniel.)*

TOUS. Qu'y a-t-il ?

PERRICHON. Un événement affreux ! *(S'interrompant.)* Faites-le boire, frottez-lui les tempes !

DANIEL. Merci... Je me sens mieux.

ARMAND. Qu'est-il arrivé ?

DANIEL. Sans le courage de monsieur Perrichon...

PERRICHON, *vivement.* Non, pas vous ! ne parlez pas !... *(Racontant.)* C'est horrible !... Nous étions sur la mer de Glace... Le mont Blanc nous regardait tranquille et majestueux...

DANIEL, *à part.* Le récit de Théramène[1] !

MADAME PERRICHON. Mais dépêche-toi donc !

HENRIETTE. Mon père !

PERRICHON. Un instant, que diable ! Depuis cinq minutes nous suivions, tout pensifs, un sentier abrupt qui serpentait entre deux crevasses... de glace ! Je marchais le premier.

MADAME PERRICHON. Quelle imprudence !

PERRICHON. Tout à coup, j'entends derrière moi comme un éboulement ; je me retourne : monsieur venait de disparaître dans un de ces abîmes sans fond, dont la vue seule fait frissonner !...

MADAME PERRICHON, *impatientée.* Mon ami !

PERRICHON. Alors, n'écoutant que mon courage, moi, père de famille, je m'élance...

---

1. **Théramène :** personnage de *Phèdre*, tragédie de Racine (1677). C'est lui qui fait à Thésée le récit de la mort d'Hippolyte.

MADAME PERRICHON ET HENRIETTE. Ciel !

PERRICHON. ...Sur le bord du précipice ; je lui tends mon bâton ferré... il s'y cramponne... je tire... il tire... nous tirons, et, après une lutte insensée, je l'arrache au néant et je le ramène à la face du soleil, notre père à tous !... *(Il s'essuie le front avec son mouchoir.)*

HENRIETTE. Oh ! papa !

MADAME PERRICHON. Mon ami !

PERRICHON, *embrassant sa femme et sa fille.* Oui, mes enfants, c'est une belle page...

ARMAND, *à Daniel.* Comment vous trouvez-vous ?

DANIEL, *bas.* Très bien ! ne vous inquiétez pas ! *(Il se lève.)* Monsieur Perrichon, vous venez de rendre un fils à sa mère...

PERRICHON, *majestueusement.* C'est vrai !

DANIEL. Un frère à sa sœur !

PERRICHON. Et un homme à la société !

DANIEL. Les paroles sont impuissantes pour reconnaître un tel service.

PERRICHON. C'est vrai !

DANIEL. Il n'y a que le cœur... entendez-vous, le cœur !...

PERRICHON. Monsieur Daniel ! Non ! laissez-moi vous appeler Daniel !

DANIEL. Comment donc ! *(À part.)* Chacun son tour !

PERRICHON, *ému.* Daniel, mon ami, mon enfant... votre main ! *(Il lui prend la main.)* Je vous dois les plus douces émotions de ma vie... Sans moi, vous ne seriez qu'une masse informe et repoussante, ensevelie sous les frimas[1]... Vous me devez tout, tout ! *(Avec noblesse.)* Je ne l'oublierai jamais !

DANIEL. Ni moi !

PERRICHON, *à Armand, en s'essuyant les yeux.* Ah ! jeune homme !... vous ne savez pas le plaisir qu'on éprouve à sauver son semblable !

---

1. **Les frimas :** le brouillard épais et glacé.

HENRIETTE. Mais, papa, monsieur le sait bien ; puisque tantôt...

PERRICHON, *se rappelant.* Ah ! oui ! c'est juste ! Monsieur l'aubergiste, apportez-moi le livre des voyageurs.

MADAME PERRICHON. Pourquoi faire ?

PERRICHON. Avant de quitter ces lieux, je désire consacrer[1] par une note le souvenir de cet événement !

L'AUBERGISTE, *apportant le registre.* Voilà, monsieur.

PERRICHON. Merci... Tiens, qui est-ce qui a écrit ça ?

TOUS. Quoi donc ?

PERRICHON, *lisant.* « Je ferai observer à M. Perrichon que la mer de Glace n'ayant pas d'enfants, l'e qu'il lui attribue devient un dévergondage[2] grammatical. » Signé : « le Commandant. »

TOUS. Hein ?

HENRIETTE, *bas à son père.* Oui, papa ! mer ne prend pas d'e à la fin.

PERRICHON. Je le savais ! Je vais lui répondre à ce monsieur. *(Il prend une plume et écrit.)* « Le commandant est... un paltoquet[3] ! » Signé : « Perrichon ».

LE GUIDE, *rentrant.* La voiture est là.

PERRICHON. Allons ! Dépêchons-nous ! *(Aux jeunes gens.)* Messieurs, si vous voulez accepter une place... *(Armand et Daniel s'inclinent.)*

MADAME PERRICHON, *appelant son mari.* Perrichon, aide-moi à mettre mon manteau. *(Bas.)* On vient de me demander notre fille en mariage...

PERRICHON. Tiens ! à moi aussi !

MADAME PERRICHON. C'est monsieur Armand.

PERRICHON. Moi, c'est Daniel... mon ami Daniel.

MADAME PERRICHON. Mais il me semble que l'autre...

---

1. **Consacrer :** inscrire définitivement, pour que cela soit connu de tous.
2. **Un dévergondage :** un laisser-aller intolérable.
3. **Paltoquet :** homme grossier et insolent.

PERRICHON. Nous parlerons de cela plus tard.

HENRIETTE, *à la fenêtre.* Ah ! il pleut à verse !

PERRICHON. Ah diable ! *(À l'aubergiste.)* Combien tient-on dans votre voiture ?

L'AUBERGISTE. Quatre dans l'intérieur et un à côté du cocher.

PERRICHON. C'est juste le compte.

ARMAND. Ne vous gênez pas pour moi.

PERRICHON. Daniel montera avec nous.

HENRIETTE, *bas, à son père.* Et monsieur Armand ?

PERRICHON, *bas.* Dame ! il n'y a que quatre places… il montera sur le siège.

HENRIETTE. Par une pluie pareille ?

MADAME PERRICHON. Un homme qui t'a sauvé !

PERRICHON. Je lui prêterai mon caoutchouc[1] !

HENRIETTE. Ah !

PERRICHON. Allons ! en route ! en route !

DANIEL, *à part.* Je savais bien que je reprendrais la corde[2] !

---

1. **Mon caoutchouc :** mon imperméable.
2. **Je reprendrais la corde :** je serais de nouveau bien placé, et donc je prendrais l'avantage dans la compétition (terme sportif, particulièrement utilisé pour les courses de chevaux).

Clefs d'analyse Acte II, scènes 8 à 10

Action et personnages

1. Pourquoi Armand veut-il voir et parler à « ces dames » (sc. 8, l. 1) ?
2. Pour quelle raison la banque dirigée par Armand poursuit-elle le commandant Mathieu ?
3. Que demande précisément le commandant à Armand, et dans quelle intention ?
4. Pourquoi le commandant prend-il la précaution de demander à Armand s'il est célibataire avant de lui faire ses confidences (sc. 8) ?
5. Pourquoi Madame Perrichon « perd-elle la tête » lorsque Armand lui fait part de son amour pour Henriette (sc. 9, l. 56) ?
6. À quel moment le commandant a-t-il écrit sa remarque à Perrichon dans le livre des voyageurs ?
7. À qui va la préférence d'Henriette entre Armand et Daniel ?

Langue

8. Pour être polis, le commandant et Armand utilisent différents moyens dans la scène 8. Faites-en le relevé.
9. Comment se traduit l'émotion de Madame Perrichon à la fin de la scène 9 (l. 56 à la fin) ?
10. Observez les différents temps employés par Perrichon dans son récit (sc. 10, l. 10 à 29). Comment justifiez-vous le changement de système des temps ? Quelles sont les différentes valeurs du présent ?
11. Relevez tous les termes et les procédés grammaticaux employés par Perrichon pour amplifier son récit de l'accident et du sauvetage (sc. 10).

Genre ou thèmes

12. Quelle est la situation à la fin de l'acte II ? Quelles sont désormais les attentes du spectateur ou du lecteur ?

13. Comparez les scènes 3 et 10. Comment les deux « héros » se comportent-ils et s'expriment-ils ? Quel est l'effet sur le spectateur ?
14. Désormais, les personnages sont « marqués » : le spectateur connaît leurs traits de caractère, leur personnalité, leurs façons d'agir et de réagir... Par quels moyens Labiche a-t-il caractérisé chacun ?

Écriture

15. Perrichon écrit à Majorin et lui raconte avec force détails son action héroïque. Rédigez la lettre.
16. Non sans humour, l'aubergiste raconte à la cuisinière ce qu'il a vu et entendu durant la scène 10.
17. Daniel a fait sa demande en mariage à Monsieur Perrichon. Imaginez dans quelles circonstances, et sous quelles formes. Rédigez la scène, qui a lieu à l'extérieur.
18. La famille Perrichon et les deux jeunes gens sont dans la voiture, en route pour Chamonix. Que pense Armand, assis à côté du cocher et sous la pluie ? Que dit Daniel, assis à côté de Madame Perrichon, bien à l'abri ? Rédigez ces deux monologues.

Pour aller plus loin

19. Lisez plusieurs fois à haute voix la réplique du commandant (sc. 8, l. 11 à 14) en variant les tons. Vous ferez ainsi nettement apparaître plusieurs intentions possibles dans la phrase « Voilà un monsieur qui mérite une leçon d'orthographe ».

* À retenir

On désigne par le mot « caractérisation » l'ensemble des moyens mis en œuvre pour préciser les particularités des êtres. En général, lorsque l'auteur présente ses personnages, il emploie des termes précis pour les désigner et les qualifier. Mais il peut également insister sur leur comportement et leurs réactions, afin que le lecteur se fasse sa propre opinion.

ACTE III
Scène 1

Un salon chez Perrichon, à Paris. Cheminée au fond ; porte d'entrée dans l'angle à gauche ; appartement[1] *dans l'angle à droite ; salle à manger à gauche ; au milieu, guéridon avec tapis*[2] *; canapé à droite du guéridon.*

JEAN, *seul, achevant d'essuyer un fauteuil.* Midi moins un quart... C'est aujourd'hui que M. Perrichon revient de voyage avec madame et mademoiselle... J'ai reçu hier une lettre de monsieur... la voilà. *(Lisant.)* « Grenoble, 5 juillet. Nous arriverons mercredi, 7 juillet, à midi. Jean nettoiera l'appartement et fera poser les rideaux. » *(Parlé.)* C'est fait. *(Lisant.)* « Il dira à Marguerite, la cuisinière, de nous préparer le dîner. Elle mettra le pot-au-feu[3]... un morceau pas trop gras... de plus, comme il y a longtemps que nous n'avons mangé de poisson de mer, elle nous achètera une petite barbue[4] bien fraîche... Si la barbue était trop chère, elle la remplacerait par un morceau de veau à la casserole[5]. » *(Parlé.)* Monsieur peut arriver... tout est prêt... Voilà ses journaux, ses lettres, ses cartes de visite[6]... Ah ! par exemple, il est venu ce matin de bonne heure un monsieur que je ne connais pas... il m'a dit qu'il s'appelait le Commandant... Il doit repasser. *(Coup de sonnette à la porte extérieure.)* On sonne !... c'est monsieur... je reconnais sa main !...

---

1. **Appartement :** partie de la maison dans laquelle se trouvent les chambres et autres pièces privées.
2. **Guéridon avec tapis :** petite table ronde recouverte d'une pièce de tissu épais.
3. **Elle mettra le pot-au-feu :** elle préparera un pot-au-feu (morceau de bœuf bouilli, mijoté longuement avec des légumes et un os à moelle, et dont on consomme aussi le bouillon).
4. **Barbue** : poisson de mer plat au goût délicat.
5. **Un morceau de veau à la casserole :** du veau mijoté, préparé à la casserole (plat en sauce le plus souvent).
6. **Ses cartes de visite :** les cartes des personnes qui sont venues lui rendre visite pendant son absence.

Scène 2 JEAN, PERRICHON, MADAME PERRICHON, HENRIETTE.

Ils portent des sacs de nuit et des cartons.

PERRICHON. Jean… c'est nous !

JEAN. Ah ! monsieur !… madame !… mademoiselle !… *(Il les débarrasse de leurs paquets.)*

PERRICHON. Ah ! qu'il est doux de rentrer chez soi, de voir ses meubles, de s'y asseoir ! *(Il s'assied sur le canapé.)*

MADAME PERRICHON, *assise à gauche.* Nous devrions être de retour depuis huit jours…

PERRICHON. Nous ne pouvions passer à Grenoble sans aller voir les Darinel… ils nous ont retenus… *(À Jean.)* Est-il venu quelque chose pour moi en mon absence ?

JEAN. Oui, monsieur… tout est là sur la table.

PERRICHON, *prenant plusieurs cartes de visite.* Que de visites ! *(Lisant.)* Armand Desroches…

HENRIETTE, *avec joie.* Ah !

PERRICHON. Daniel Savary… brave jeune homme ! Armand Desroches… Daniel Savary… charmant jeune homme !… Armand Desroches.

JEAN. Ces messieurs sont venus tous les jours s'informer de votre retour.

MADAME PERRICHON. Tu leur dois une visite.

PERRICHON. Certainement, j'irai le voir… ce brave Daniel !

HENRIETTE. Et monsieur Armand ?

PERRICHON. J'irai le voir aussi… après. *(Il se lève.)*

HENRIETTE, *à Jean.* Aidez-moi à porter ces cartons dans la chambre.

JEAN. Oui, mademoiselle. *(Regardant Perrichon.)* Je trouve monsieur engraissé. On voit qu'il a fait un bon voyage.

PERRICHON. Splendide, mon ami, splendide ! Ah ! tu ne sais pas ? J'ai sauvé un homme !

JEAN, *incrédule.* Monsieur ?... Allons donc !... *(Il sort avec Henriette par la droite.)*

Scène 3 PERRICHON, MADAME PERRICHON.

PERRICHON. Comment, allons donc !... Est-il bête, cet animal-là !

MADAME PERRICHON. Maintenant que nous voilà de retour, j'espère que tu vas prendre un parti[1]... Nous ne pouvons tarder plus longtemps à rendre réponse[2] à ces deux jeunes gens... Deux prétendus[3] dans la maison... c'est trop !...

PERRICHON. Moi, je n'ai pas changé d'avis... j'aime mieux Daniel !

MADAME PERRICHON. Pourquoi ?

PERRICHON. Je ne sais pas... je le trouve plus... enfin, il me plaît, ce jeune homme !

MADAME PERRICHON. Mais l'autre... l'autre t'a sauvé !

PERRICHON. Il m'a sauvé ! Toujours le même refrain !

MADAME PERRICHON. Qu'as-tu à lui reprocher ? Sa famille est honorable, sa position excellente...

PERRICHON. Mon Dieu ! je ne lui reproche rien... je ne lui en veux pas à ce garçon !

MADAME PERRICHON. Il ne manquerait plus que ça !

PERRICHON. Mais je lui trouve un petit air pincé.

---

1. **Un parti :** une décision.
2. **À rendre réponse** : à donner une réponse.
3. **Prétendus :** personnes que l'on doit épouser.

MADAME PERRICHON. Lui !

PERRICHON. Oui, il a un ton protecteur... des manières... il semble toujours se prévaloir[1] du petit service qu'il m'a rendu...

MADAME PERRICHON. Il ne t'en parle jamais !

PERRICHON. Je le sais bien ! mais c'est son air qui me dit : « Hein ? sans moi ?... » C'est agaçant à la longue ! tandis que l'autre !...

MADAME PERRICHON. L'autre te répète sans cesse : « Hein ? sans vous... hein ? sans vous ! » Cela flatte ta vanité... et voilà pourquoi tu le préfères.

PERRICHON. Moi ! de la vanité ! J'aurais peut-être le droit d'en avoir !

MADAME PERRICHON. Oh !

PERRICHON. Oui, madame !... l'homme qui a risqué sa vie pour sauver son semblable peut être fier de lui-même... mais j'aime mieux me renfermer dans un silence modeste... signe caractéristique du vrai courage !

MADAME PERRICHON. Mais tout cela n'empêche pas que M. Armand...

PERRICHON. Henriette n'aime pas... ne peut pas aimer M. Armand !

MADAME PERRICHON. Qu'en sais-tu ?

PERRICHON. Dame ! je suppose...

MADAME PERRICHON. Il y a un moyen de le savoir, c'est de l'interroger... et nous choisirons celui qu'elle préférera...

PERRICHON. Soit !... mais ne l'influence pas !

MADAME PERRICHON. La voici.

---

1. **Se prévaloir** : tirer avantage.

Scène 4 PERRICHON, MADAME PERRICHON, HENRIETTE.

MADAME PERRICHON, *à sa fille qui entre.* Henriette... ma chère enfant... ton père et moi, nous avons à te parler sérieusement.

HENRIETTE. À moi ?

PERRICHON. Oui.

MADAME PERRICHON. Te voila bientôt en âge d'être mariée... Deux jeunes gens se présentent pour obtenir ta main... tous deux nous conviennent... mais nous ne voulons pas contrarier ta volonté, et nous avons résolu de te laisser l'entière liberté du choix.

HENRIETTE. Comment !

PERRICHON. Pleine et entière...

MADAME PERRICHON. L'un de ces jeunes gens est M. Armand Desroches.

HENRIETTE. Ah !

PERRICHON, *vivement.* N'influence pas !...

MADAME PERRICHON. L'autre est M. Daniel Savary...

PERRICHON. Un jeune homme charmant, distingué, spirituel, et qui, je ne le cache pas, a toutes mes sympathies...

MADAME PERRICHON. Mais tu influences...

PERRICHON. Du tout ! je constate un fait !... *(À sa fille.)* Maintenant te voilà éclairée... choisis....

HENRIETTE. Mon Dieu !... vous m'embarrassez beaucoup... et je suis prête à accepter celui que vous me désignerez...

PERRICHON. Non ! non ! décide toi-même !

MADAME PERRICHON. Parle, mon enfant !

HENRIETTE. Eh bien ! puisqu'il faut absolument faire un choix, je choisis... M. Armand.

MADAME PERRICHON. Là !

PERRICHON. Armand ! Pourquoi pas Daniel ?

HENRIETTE. Mais M. Armand t'a sauvé, papa.

PERRICHON. Allons, bien ! encore ? C'est fatigant, ma parole d'honneur !

MADAME PERRICHON. Eh bien ! tu vois… il n'y a pas à hésiter…

PERRICHON. Ah ! mais permets, chère amie, un père ne peut pas abdiquer[1]… Je réfléchirai, je prendrai mes renseignements.

MADAME PERRICHON, *bas.* Monsieur Perrichon, c'est de la mauvaise foi !

PERRICHON. Caroline !…

Scène 5 LES MÊMES, JEAN, MAJORIN.

JEAN, *à la cantonade.* Entrez !... ils viennent d'arriver ! *(Majorin entre.)*

PERRICHON. Tiens ! c'est Majorin !…

MAJORIN, *saluant.* Madame… mademoiselle… j'ai appris que vous reveniez aujourd'hui… alors j'ai demandé un jour de congé… j'ai dit que j'étais de garde…

PERRICHON. Ce cher ami ! c'est très aimable… Tu dînes avec nous ? nous avons une petite barbue…

MAJORIN. Mais… si ce n'est pas indiscret[2]…

JEAN, *bas, à Perrichon.* Monsieur… c'est du veau à la casserole ! *(Il sort.)*

PERRICHON. Ah ! *(À Majorin.)* Allons, n'en parlons plus, ce sera pour une autre fois…

---

1. **Abdiquer :** renoncer à son pouvoir de décision.
2. **Si ce n'est pas indiscret :** si je ne gêne pas.

Majorin, *à part.* Comment ! Il me désinvite ! S'il croit que j'y tiens, à son dîner ! *(Prenant Perrichon à part. Les dames s'asseyent sur le canapé.)* J'étais venu pour te parler des six cents francs que tu m'as prêtés le jour de ton départ...

Perrichon. Tu me les rapportes ?

Majorin. Non... Je ne touche que demain mon dividende des paquebots... mais à midi précis...

Perrichon. Oh ! ça ne presse pas !

Majorin. Pardon... j'ai hâte de m'acquitter...

Perrichon. Ah ! tu ne sais pas ?... je t'ai rapporté un souvenir.

Majorin, *s'asseyant derrière le guéridon.* Un souvenir ! à moi ?

Perrichon, *s'asseyant.* En passant à Genève, j'ai acheté trois montres... une pour Jean, une pour Marguerite, la cuisinière... et une pour toi, à répétition[1].

Majorin, *à part.* Il me met après ses domestiques ! *(Haut.)* Enfin ?

Perrichon. Avant d'arriver à la douane française, je les avais fourrées dans ma cravate...

Majorin. Pourquoi ?

Perrichon. Tiens ! je n'avais pas envie de payer les droits. On me demande : « Avez-vous quelque chose à déclarer ? » Je réponds non ; je fais un mouvement et voilà ta diablesse de montre qui sonne : dig, dig, dig.

Majorin. Eh bien ?

Perrichon. Eh bien ! j'ai été pincé... on a tout saisi...

Majorin. Comment !

Perrichon. J'ai eu une scène atroce ! J'ai appelé le douanier « méchant gabelou[2]. » Il m'a dit que j'entendrais parler de lui... Je regrette beaucoup cet incident... elle était charmante, ta montre.

Majorin, *sèchement.* Je ne t'en remercie pas moins... *(À part.)* Comme s'il ne pouvait pas acquitter les droits... c'est sordide !

---

1. **À répétition :** une montre qui sonne quand on actionne un ressort.
2. **Gabelou :** on nommait ainsi le douanier qui prélevait la gabelle (impôt indirect sur le sel, aboli en 1790). Ce terme est donc périmé et insultant.

Clefs d'analyse **Acte III,** scènes 1 à 5

Action et personnages

1. Où se trouvent les personnages ?
2. Que s'est-il passé entre les deux actes et combien de temps s'est-il écoulé ?
3. Quelles personnes sont venues rendre visite à la famille Perrichon durant son absence ?
4. Comment Jean considère-t-il son maître ?
5. Quel est le sujet de la conversation de Monsieur et Madame Perrichon dans la scène 3 ? Relevez une réplique qui prouve que ce n'est pas la première fois qu'ils l'abordent.
6. Pourquoi Henriette dit-elle qu'elle est très « embarrassée » dans la scène 4 ?
7. Pourquoi Perrichon « désinvite-t-il » Majorin dans la scène 5 ?
8. Majorin a-t-il des raisons valables d'affirmer « c'est sordide ! » (sc. 5, l. 43) ?

Langue

9. Quel défaut de Perrichon sa femme souligne-t-elle dans la scène 3 ? Relevez un terme synonyme et un terme antonyme dans la suite de la même scène.
10. D'où vient l'expression « être de mauvaise foi » (sc. 4) ? Donnez les différents sens du mot « foi », puis proposez plusieurs homonymes.
11. Donnez la formation de l'adjectif « indiscret », du nom « midi », et des verbes « rapporter » et « désinviter » (sc. 5). Quels sont les sens des différents préfixes ?
12. « Il m'a dit que j'entendrais parler de lui » (sc. 5, l. 40). Justifiez l'emploi du mode et du temps du verbe « entendre ».

Genre ou thèmes

13. Pourquoi Jean parle-t-il tout seul dans la scène 1 ? Quelle est la fonction de son monologue ?

14. Avec le personnage de Jean, Labiche exploite un nouvel effet comique. Lequel ?

15. Quel événement inconnu est raconté dans la scène 5 ? Quelles informations supplémentaires le spectateur obtient-il ainsi sur la personnalité de Perrichon ?

16. Que laisse supposer l'incident des montres (sc. 5, l. 23 à 43) pour la suite de l'intrigue ?

Écriture

17. Durant l'absence des Perrichon, Jean, Marguerite et leurs amis sont sortis. Où sont-ils allés et qu'ont-ils fait pour se distraire ? Racontez.

18. Le commandant est rentré à Paris, et veut revoir Anita. Il donne un certain nombre de raisons qu'il juge valables. Rédigez son dialogue avec Joseph, qui cherche à tout prix à le dissuader.

19. Henriette retrouve sa chambre avec émotion et ouvre son armoire. Que contient-elle ? Racontez et décrivez.

Pour aller plus loin

20. Comment les appartements bourgeois étaient-ils meublés et décorés à l'époque de Labiche ? Faites une recherche d'images.

21. Faites une recherche sur les tableaux appelés « vanités » au XVIIe siècle. Imaginez ensuite celui que vous feriez peindre pour Perrichon.

✻ À retenir

Au théâtre, on oppose en général le dialogue au monologue, pendant lequel un personnage parle tout seul et pour lui-même. Il fait ainsi connaître ses pensées au public. On désigne par « tunnel » (ou familièrement « tartine ») un monologue long et ennuyeux. Le terme « récit de Théramène » est employé quand le personnage raconte longuement un événement qui s'est déroulé hors scène.

Scène 6 LES MÊMES, JEAN, ARMAND.

JEAN, *annonçant.* Monsieur Armand Desroches !

HENRIETTE, *quittant son ouvrage.* Ah !

MADAME PERRICHON, *se levant et allant au-devant d'Armand.* Soyez le bienvenu… nous attendions votre visite…

ARMAND, *saluant.* Madame… monsieur Perrichon…

PERRICHON. Enchanté ! enchanté ! *(À part.)* Il a toujours son petit air protecteur !

MADAME PERRICHON, *bas, à son mari.* Présente-le donc à Majorin.

PERRICHON. Certainement… *(Haut.)* Majorin, je te présente monsieur Armand Desroches… une connaissance de voyage…

HENRIETTE, *vivement.* Il a sauvé papa !

PERRICHON, *à part.* Allons, bien !… encore !

MAJORIN. Comment, tu as couru quelque danger ?

PERRICHON. Non… une misère…

ARMAND. Cela ne vaut pas la peine d'en parler…

PERRICHON, *à part.* Toujours son petit air !

Scène 7 LES MÊMES, JEAN, DANIEL.

JEAN, *annonçant.* Monsieur Daniel Savary !…

PERRICHON, *s'épanouissant.* Ah ! le voilà, ce cher ami !… ce bon Daniel !… *(Il renverse presque le guéridon en courant au-devant de lui.)*

DANIEL, *saluant.* Mesdames… Bonjour, Armand !

PERRICHON, *le prenant par la main.* Venez, que je vous présente à Majorin… *(Haut.)* Majorin, je te présente un de mes bons… un de mes meilleurs amis… monsieur Daniel Savary…

MAJORIN. Savary ? des paquebots ?

DANIEL, *saluant.* Moi-même.

PERRICHON. Ah ! sans moi, il ne te payerait pas demain ton dividende.

MAJORIN. Pourquoi ?

PERRICHON. Pourquoi ? *(Avec fatuité[1].)* Tout simplement parce que je l'ai sauvé, mon bon !

MAJORIN. Toi ? *(À part.)* Ah çà ! ils ont donc passé tout leur temps à se sauver la vie !

PERRICHON, *racontant.* Nous étions sur la mer de Glace, le mont Blanc nous regardait tranquille et majestueux.

DANIEL, *à part.* Second récit de Théramène !

PERRICHON. Nous suivions tout pensifs un sentier abrupt.

HENRIETTE, *qui a ouvert un journal.* Tiens, papa qui est dans le journal !

PERRICHON. Comment ! je suis dans le journal ?

HENRIETTE. Lis toi-même… là… *(Elle lui donne le journal.)*

PERRICHON. Vous allez voir que je suis tombé du jury[2] ! *(Lisant.)* « On nous écrit de Chamouny… »

TOUS. Tiens ! *(Ils se rapprochent.)*

PERRICHON, *lisant.* « Un événement qui aurait pu avoir des suites déplorables vient d'arriver à la mer de Glace… M. Daniel S... a fait un faux pas et a disparu dans une de ces crevasses si redoutées des voyageurs. Un des témoins de cette scène, M. Perrichon (qu'il nous permette de le nommer !)… » *(Parlé.)* Comment donc ! si je

---

1. **Avec fatuité :** avec suffisance, vanité.
2. **Je suis tombé du jury :** j'ai été tiré au sort pour faire partie du jury lors d'un procès d'assises.

le permets ! *(Lisant.)* « M. Perrichon, notable commerçant[1] de Paris et père de famille, n'écoutant que son courage, et au mépris de sa propre vie, s'est élancé dans le gouffre... » *(Parlé.)* C'est vrai ! *(Lisant.)* « et après des efforts inouïs, a été assez heureux pour en retirer son compagnon. Un si admirable dévouement n'a été surpassé que par la modestie de M. Perrichon, qui s'est dérobé aux félicitations de la foule émue et attendrie... Les gens de cœur de tous les pays nous sauront gré de leur signaler un pareil trait[2] ! »

TOUS. Ah !

DANIEL, *à part.* Trois francs la ligne !

PERRICHON, *relisant lentement la dernière phrase.* « Les gens de cœur de tous les pays nous sauront gré de leur signaler un pareil trait. » *(À Daniel, très ému.)* Mon ami... mon enfant ! embrassez-moi ! *(Ils s'embrassent.)*

DANIEL, *à part.* Décidément, j'ai la corde...

PERRICHON, *montrant le journal.* Certes, je ne suis pas un révolutionnaire, mais, je le proclame hautement, la presse a du bon ! *(Mettant le journal dans sa poche et à part.)* J'en ferai acheter dix numéros !

MADAME PERRICHON. Dis donc, mon ami, si nous envoyions au journal le récit de la belle action de M. Armand ?

HENRIETTE. Oh ! oui ! cela ferait un joli pendant[3] !

PERRICHON, *vivement.* C'est inutile ! je ne peux pas toujours occuper les journaux de ma personnalité...

JEAN, *entrant, un papier la main.* Monsieur ?

PERRICHON. Quoi ?

JEAN. Le concierge vient de me remettre un papier timbré[4] pour vous.

MADAME PERRICHON. Un papier timbré ?

---

1. **Notable commerçant :** commerçant très connu et respecté.
2. **Un pareil trait :** un tel acte de bravoure.
3. **Un joli pendant :** une équivalence, qui viendrait mettre joliment en parallèle les deux actions (celle de Daniel et celle d'Armand).
4. **Un papier timbré :** un document officiel, émanant du gouvernement.

Perrichon. N'aie donc pas peur ! je ne dois rien à personne... au contraire, on me doit...

Majorin, *à part.* C'est pour moi qu'il dit ça !

Perrichon, *regardant le papier.* Une assignation à comparaître devant la sixième chambre[1] pour injures envers un agent de la force publique dans l'exercice de ses fonctions.

Tous. Ah ! mon Dieu !

Perrichon, *lisant.* Vu le procès-verbal dressé au bureau de la douane française par le sieur[2] Machut, sergent douanier... *(Majorin remonte.)*

Armand. Qu'est-ce que cela signifie ?

Perrichon. Un douanier qui m'a saisi trois montres... j'ai été trop vif... je l'ai appelé « gabelou ! rebut[3] de l'humanité !... »

Majorin, *derrière le guéridon.* C'est très grave ! Très grave !

Perrichon, *inquiet.* Quoi ?

Majorin. Injures qualifiées[4] envers un agent de la force publique dans l'exercice de ses fonctions...

Madame Perrichon et Perrichon. Eh bien ?

Majorin. De quinze jours à trois mois de prison.

Tous. En prison !...

Perrichon. Moi ! après cinquante ans d'une vie pure et sans tache... j'irais m'asseoir sur le banc de l'infamie[5] ! jamais ! jamais !

Majorin, *à part.* C'est bien fait ! ça lui apprendra à ne pas acquitter les droits !

Perrichon. Ah ! mes amis ! mon avenir est brisé.

---

1. **Une assignation à comparaître devant la sixième chambre :** une convocation obligeant Perrichon à se présenter devant un tribunal, précisément devant la chambre qui juge tout ce qui concerne les insultes et outrages à agent.
2. **Le sieur :** terme de droit pour désigner quelqu'un.
3. **Rebut :** déchet.
4. **Injures qualifiées :** injures particulièrement graves et même considérées comme criminelles du fait des circonstances dans lesquelles elles ont été prononcées.
5. **L'infamie :** le déshonneur.

MADAME PERRICHON. Voyons, calme-toi !

HENRIETTE. Papa !

DANIEL. Du courage !

ARMAND. Attendez ! je puis peut-être vous tirer de là.

TOUS. Hein ?

PERRICHON. Vous ! mon ami… mon bon ami !

ARMAND, *allant à lui.* Je suis lié assez intimement avec un employé supérieur de l'administration des douanes… je vais le voir… peut-être pourra-t-on décider le douanier à retirer sa plainte.

MAJORIN. Ça me paraît difficile !

ARMAND. Pourquoi ? un moment de vivacité…

PERRICHON. Que je regrette !

ARMAND. Donnez-moi ce papier… j'ai bon espoir… ne vous tourmentez pas, mon brave M. Perrichon !

PERRICHON, *ému, lui prenant la main.* Ah ! Daniel ! *(Se reprenant[1].)* non, Armand !… Tenez, il faut que je vous embrasse ! *(Ils s'embrassent.)*

HENRIETTE, *à part.* À la bonne heure ! *(Elle remonte avec sa mère.)*

ARMAND, *bas à Daniel.* À mon tour, j'ai la corde !

DANIEL. Parbleu ! *(À part.)* Je crois avoir affaire à un rival et je tombe sur un terre-neuve[2].

MAJORIN, *à Armand.* Je sors avec vous.

PERRICHON. Tu nous quittes ?

MAJORIN. Oui… *(Fièrement.)* Je dîne en ville ! *(Il sort avec Armand.)*

MADAME PERRICHON, *s'approchant de son mari et bas.* Eh bien, que penses-tu maintenant de M. Armand ?

PERRICHON. Lui ! c'est-à-dire que c'est un ange ! un ange !

---

1. **Se reprenant :** corrigeant son erreur.
2. **Un terre-neuve :** race de chiens que l'on dresse facilement pour le sauvetage (en particulier pour retrouver les victimes d'avalanche).

MADAME PERRICHON. Et tu hésites à lui donner ta fille ?

PERRICHON. Non ! je n'hésite plus.

MADAME PERRICHON. Enfin ! je te retrouve ! Il ne te reste plus qu'à prévenir M. Daniel.

PERRICHON. Oh ! ce pauvre garçon ! tu crois ?

MADAME PERRICHON. Dame ! à moins que tu ne veuilles attendre l'envoi des billets de faire-part ?

PERRICHON. Oh ! non !

MADAME PERRICHON. Je te laisse avec lui... courage ! *(Haut.)* Viens-tu, Henriette ? *(Saluant Daniel.)* Monsieur. *(Elle sort par la droite, suivie d'Henriette.)*

Scène 8 PERRICHON, DANIEL.

DANIEL, *à part en descendant.* Il est évident que mes actions baissent[1]... Si je pouvais... *(Il va au canapé.)*

PERRICHON, *à part, au fond.* Ce brave jeune homme... ça me fait de la peine... Allons ! Il le faut ! *(Haut.)* Mon cher Daniel... mon bon Daniel... j'ai une communication pénible à vous faire.

DANIEL, *à part.* Nous y voilà ! *(Ils s'asseyent sur le canapé.)*

PERRICHON. Vous m'avez fait l'honneur de me demander la main de ma fille... Je caressais ce projet, mais les circonstances... les événements... votre ami, M. Armand, m'a rendu de tels services !...

DANIEL. Je comprends.

PERRICHON. Car on a beau dire, il m'a sauvé la vie, cet homme !

---

1. **Mes actions baissent :** terme de finance qui indique que les actions cotées en bourse sont en train de perdre de leur valeur, du fait de la baisse du marché. Au figuré : mes chances diminuent.

Daniel. Eh bien, et le petit sapin auquel vous vous êtes cramponné ?

Perrichon. Certainement… le petit sapin… mais il était bien petit… il pouvait casser… et puis je ne le tenais pas encore.

Daniel. Ah !

Perrichon. Non… mais ce n'est pas tout… dans ce moment, cet excellent jeune homme brûle le pavé[1] pour me tirer des cachots… Je lui devrai l'honneur… l'honneur !

Daniel. M. Perrichon ! le sentiment qui vous fait agir est trop noble pour que je cherche à le combattre…

Perrichon. Vrai ? Vous ne m'en voulez pas ?

Daniel. Je ne me souviens que de votre courage… de votre dévouement pour moi…

Perrichon, *lui prenant la main.* Ah ! Daniel ! *(À part.)* C'est étonnant comme j'aime ce garçon-là !

Daniel, *se levant.* Aussi, avant de partir…

Perrichon. Hein ?

Daniel. Avant de vous quitter…

Perrichon, *se levant.* Comment ! me quitter ! vous ? Et pourquoi ?

Daniel. Je ne puis continuer des visites qui seraient compromettantes pour mademoiselle votre fille… et douloureuses pour moi.

Perrichon. Allons, bien ! Le seul homme que j'aie sauvé !

Daniel. Oh ! mais votre image ne me quittera pas !… j'ai formé un projet… c'est de fixer sur la toile[2], comme elle l'est déjà dans mon cœur, l'héroïque scène de la mer de Glace.

Perrichon. Un tableau ! Il veut me mettre dans un tableau !

Daniel. Je me suis déjà adressé à un de nos peintres les plus illustres… Un de ceux qui travaillent pour la postérité[3] !…

---

1. **Brûle le pavé :** court partout pour effectuer des démarches.
2. **Fixer sur la toile :** reproduire dans un tableau peint.
3. **La postérité :** les générations à venir.

PERRICHON. La postérité ! Ah ! Daniel ! *(À part.)* C'est extraordinaire comme j'aime ce garçon-là !

DANIEL. Je tiens surtout à la ressemblance...

PERRICHON. Je crois bien ! moi aussi !

DANIEL. Mais il sera nécessaire que vous nous donniez cinq ou six séances...

PERRICHON. Comment donc, mon ami ! quinze ! vingt ! trente ! ça ne m'ennuiera pas... nous poserons ensemble !

DANIEL, *vivement.* Ah ! non... pas moi !

PERRICHON. Pourquoi ?

DANIEL. Parce que... voici comment nous avons conçu le tableau... on ne verra sur la toile que le mont Blanc...

PERRICHON, *inquiet.* Eh bien, et moi ?

DANIEL. Le mont Blanc et vous !

PERRICHON. C'est ça... moi et le mont Blanc... tranquille et majestueux !... Ah çà ! et vous, où serez-vous ?

DANIEL. Dans le trou... tout au fond... on n'apercevra que mes deux mains crispées et suppliantes...

PERRICHON. Quel magnifique tableau !

DANIEL. Nous le mettrons au musée...

PERRICHON. De Versailles ?

DANIEL. Non, de Paris...

PERRICHON. Ah oui !... à l'Exposition ![1]...

DANIEL. Et nous inscrirons sur le livret[2] cette notice...

---

1. **À l'Exposition ! :** Perrichon fait allusion au Salon de peinture qui avait lieu deux fois par an à Paris. Tous les artistes pouvaient s'y présenter, mais on n'y exposait que les tableaux choisis par un jury désigné par le gouvernement.
2. **Le livret :** le catalogue qui contient des notices donnant une explication pour chaque œuvre exposée.

PERRICHON. Non ! pas de banque ![1] pas de réclame[2] ! Nous mettrons tout simplement l'article de mon journal... « On nous écrit de Chamouny... »

DANIEL. C'est un peu sec.

PERRICHON. Oui !... mais nous l'arrangerons ! *(Avec effusion[3].)* Ah ! Daniel, mon ami !... mon enfant !

DANIEL. Adieu, monsieur Perrichon !... nous ne devons plus nous revoir...

PERRICHON. Non ! c'est impossible ! c'est impossible ! ce mariage... rien n'est encore décidé...

DANIEL. Mais...

PERRICHON. Restez ! je le veux !

DANIEL, *à part.* Allons donc !

---

1. **Pas de banque ! :** Pas de boniments, de discours trompeurs... !
2. **Réclame :** article élogieux présentant quelqu'un ou quelque chose.
3. ***Avec effusion :*** avec chaleur.

Clefs d'analyse **Acte III,** scènes 6 à 8

Action et personnages

1. Que reproche Perrichon à Armand (sc. 6 et 7) ?
2. Quels sont les différents moyens par lesquels Perrichon marque sa nette préférence pour Daniel dans la scène 7 ?
3. Pourquoi Majorin connaît-il déjà le nom de Daniel (sc. 7) ?
4. Expliquez l'aparté de Daniel « Trois francs la ligne ! » (sc. 7, l. 43).
5. Que semble craindre Madame Perrichon quand Jean apporte le papier timbré (sc. 7) ?
6. Pourquoi Perrichon dit-il que son avenir est brisé s'il va en prison (sc. 7) ?
7. Quel nouveau trait de caractère Perrichon manifeste-t-il dans la scène 7 ?
8. Daniel avait-il prévu de faire peindre un tableau ? Pourquoi réagit-il vivement quand Perrichon lui dit qu'ils poseront ensemble (sc. 8, l. 49) ?

Langue

9. Quel est le rôle des guillemets dans les répliques de Perrichon (sc. 7, l. 26 à 47) ?
10. Expliquez l'expression « j'irai m'asseoir sur le banc de l'infamie ». (sc. 7, l. 84). Comment nomme-t-on ce procédé stylistique ?
11. Relevez les questions posées par Madame Perrichon dans la scène 7, de la ligne 113 à 125. S'agit-il à chaque fois de vraies questions ? Ces interrogations sont-elles totales ou partielles ?
12. Relevez tous les termes flatteurs pour Perrichon que Daniel emploie dans la scène 8. À quel champ lexical appartiennent-ils ?
13. « mes deux mains suppliantes » (sc. 8, l. 58). Comment nomme-t-on ce procédé stylistique ?

Genre ou thèmes

14. Le spectateur était-il préparé à l'arrivée du papier timbré ?
15. Quel effet la méprise de Perrichon, appelant Armand « Daniel », fait-elle sur le spectateur (sc. 7, l. 103) ?

16. Énumérez les différents moyens imaginés jusque-là par Daniel pour plaire à Perrichon.
17. Énumérez les différents services rendus jusque-là par Armand à Perrichon.
18. Relevez un exemple de comique de répétition. Dans quelles scènes précédentes les termes répétés sont-ils déjà apparus ?

Écriture

19. Armand est parti voir le douanier insulté pour tenter de lui faire retirer sa plainte. Mais le douanier est déterminé. Rédigez leur dialogue.
20. Perrichon « arrange » l'article de journal. Écrivez la nouvelle version.
21. Daniel écrit la notice du tableau, avec son ironie habituelle. Rédigez-la.
22. Le peintre arrive, et Perrichon commence à poser. Daniel est là. Rédigez la séance, sous forme de scène de théâtre, qui contiendra des didascalies et des apartés.

Pour aller plus loin

23. Faites une recherche sur l'Exposition (le Salon de peinture) à l'époque de Labiche. Quels sont les peintres qui ont eu du succès en leur temps, quels sont ceux qui ont été refusés et qui sont devenus célèbres ?
24. Faites une recherche sur les différentes Expositions universelles qui se sont tenues à Paris au XIXe siècle.

✳ *À retenir*

Comme son nom l'indique, le « nœud dramatique » désigne l'enchevêtrement des différents problèmes qui forment la situation difficile dans laquelle se trouvent les personnages. Le nœud est plus ou moins serré. Pour le démêler, il faut résoudre tous les problèmes. C'est l'action des personnages, et aussi souvent le hasard, qui permet d'arriver au « dénouement », à la fin de la pièce.

Scène 9 LES MÊMES, JEAN, LE COMMANDANT.

JEAN, *annonçant.* Monsieur le commandant Mathieu !

PERRICHON, *étonné.* Qu'est-ce que c'est que ça ?

LE COMMANDANT, *entrant.* Pardon, messieurs, je vous dérange peut-être ?

PERRICHON. Du tout.

LE COMMANDANT, *à Daniel.* Est-ce à monsieur Perrichon que j'ai l'honneur de parler ?

PERRICHON. C'est moi, monsieur.

LE COMMANDANT. Ah !... *(À Perrichon.)* Monsieur, voilà douze jours que je vous cherche. Il y a beaucoup de Perrichon à Paris... j'en ai déjà visité une douzaine... mais je suis tenace[1]...

PERRICHON, *lui indiquant un siège à gauche du guéridon.* Vous avez quelque chose à me communiquer ? *(Il s'assied sur le canapé. Daniel remonte.)*

LE COMMANDANT, *s'asseyant.* Je n'en sais rien encore... Permettez-moi d'abord de vous adresser une question : Est-ce vous qui avez fait, il y a un mois, un voyage à la mer de Glace ?

PERRICHON. Oui, monsieur, c'est moi-même ! je crois avoir le droit de m'en vanter !

LE COMMANDANT. Alors, c'est vous qui avez écrit sur le registre des voyageurs : « Le commandant est un paltoquet. »

PERRICHON. Comment ! vous êtes... ?

LE COMMANDANT. Oui, monsieur... c'est moi !

PERRICHON. Enchanté ! *(Ils se font plusieurs petits saluts.)*

DANIEL, *à part en descendant.* Diable ! l'horizon s'obscurcit !...

---

1. **Tenace :** obstiné.

Le commandant. Monsieur, je ne suis ni querelleur ni ferrailleur[1], mais je n'aime pas à laisser traîner sur les livres d'auberge de pareilles appréciations à côté de mon nom…

Perrichon. Mais vous avez écrit le premier une note… plus que vive !

Le commandant. Moi ? je me suis borné à constater que mer de Glace ne prenait pas d'*e* à la fin : voyez le dictionnaire…

Perrichon. Eh ! monsieur ! vous n'êtes pas chargé de corriger mes… prétendues fautes d'orthographe[2] ! De quoi vous mêlez-vous ? *(Ils se lèvent.)*

Le commandant. Pardon… pour moi, la langue française est une compatriote aimée… une dame de bonne maison, élégante, mais un peu cruelle… vous le savez mieux que personne.

Perrichon. Moi ?…

Le commandant. Et, quand j'ai l'honneur de la rencontrer à l'étranger… je ne permets pas qu'on éclabousse sa robe. C'est une question de chevalerie et de nationalité.

Perrichon. Ah çà ! monsieur, auriez-vous la prétention de me donner une leçon ?

Le commandant. Loin de moi cette pensée !…

Perrichon. Ah ! ce n'est pas malheureux ! *(À part.)* Il recule.

Le commandant. Mais, sans vouloir vous donner une leçon, je viens vous demander poliment… une explication.

Perrichon, *à part.* Mathieu !… c'est un faux commandant.

Le commandant. De deux choses l'une : ou vous persistez…

Perrichon. Je n'ai pas besoin de tous ces raisonnements ! Vous croyez peut-être m'intimider, monsieur… j'ai fait mes preuves de courage, entendez-vous ! et je vous les ferai voir…

Le commandant. Où ça ?

Perrichon. À l'Exposition… l'année prochaine…

---

1. **Ferrailleur :** qui aime croiser le fer, c'est-à-dire se battre à l'épée ou au fleuret.
2. **Mes prétendues fautes d'orthographe :** les fautes d'orthographe que j'ai faites, selon vous.

LE COMMANDANT. Oh ! permettez !... Il me sera impossible d'attendre jusque-là... Pour abréger, je vais au fait : retirez-vous, oui ou non[1]... ?

PERRICHON. Rien du tout !

LE COMMANDANT. Prenez garde !

DANIEL. Monsieur Perrichon !

PERRICHON. Rien du tout ! *(À part.)* Il n'a pas seulement de moustaches !

LE COMMANDANT. Alors, monsieur Perrichon, j'aurai l'honneur de vous attendre demain, à midi, avec mes témoins[2], dans les bois de la Malmaison[3]...

DANIEL. Commandant ! un mot !

LE COMMANDANT, *remontant.* Nous vous attendrons chez le garde !

DANIEL. Mais, commandant...

LE COMMANDANT. Mille pardons... j'ai rendez-vous avec un tapissier... pour choisir des étoffes, des meubles... À demain... midi... *(Saluant.)* Messieurs... j'ai bien l'honneur... *(Il sort.)*

---

1. **Retirez-vous, oui ou non ? :** retirez-vous ce que vous avez dit ? Reconnaissez-vous l'insulte que vous m'avez faite ?
2. **Avec mes témoins :** lors d'un duel, chaque combattant était assisté de deux témoins qui vérifiaient l'état des armes, le respect des règles, et qui constataient le résultat (victoire ou défaite, nature des blessures, etc.).
3. **Les bois de La Malmaison :** les bois du château de Malmaison. Ce château, qui fut la résidence de Napoléon Ier et Napoléon III, est situé à une quinzaine de kilomètres de Paris (actuellement Rueil-Malmaison).

Scène 10 PERRICHON, DANIEL, *puis* JEAN.

DANIEL, *à Perrichon.* Diable ! vous êtes raide en affaires !… avec un commandant surtout !

PERRICHON. Lui ! un commandant ? Allons donc ! Est-ce que les vrais commandants s'amusent à éplucher les fautes d'orthographe ?

DANIEL. N'importe. Il faut questionner, s'informer… *(Il sonne à la cheminée.)* savoir à qui nous avons affaire.

JEAN, *paraissant.* Monsieur ?

PERRICHON, *à Jean.* Pourquoi as-tu laissé entrer cet homme qui sort d'ici ?

JEAN. Monsieur, il était déjà venu ce matin… J'ai même oublié de vous remettre sa carte…

DANIEL. Ah ! sa carte !

PERRICHON. Donne ! *(La lisant.)* Mathieu, ex-commandant au 2e zouaves[1].

DANIEL. Un zouave !

PERRICHON. Saprelotte ![2]

JEAN. Quoi donc ?

PERRICHON. Rien ! Laisse-nous ! *(Jean sort.)*

DANIEL. Eh bien ! nous voilà dans une jolie situation !

PERRICHON. Que voulez-vous ? j'ai été trop vif… Un homme si poli !… Je l'ai pris pour un notaire gradé[3] !

---

1. **2e zouaves :** 2e bataillon du régiment des zouaves, qui était constitué essentiellement de soldats algériens particulièrement connus pour leur bravoure, leur détermination et même leur férocité.
2. **Saprelotte ! :** juron familier.
3. **Un notaire gradé :** Perrichon pense que Mathieu est notaire et qu'il a obtenu le grade de commandant durant son service à la Garde nationale, ce qui n'a rien de militaire ni de valorisant.

DANIEL. Que faire ?

PERRICHON. Il faudrait trouver un moyen… *(Poussant un cri.)* Ah !…

DANIEL. Quoi ?

PERRICHON. Rien ! rien ! Il n'y a pas de moyen ! je l'ai insulté, je me battrai !… Adieu !

DANIEL. Où allez-vous ?

PERRICHON. Mettre mes affaires[1] en ordre… vous comprenez…

DANIEL. Mais cependant…

PERRICHON. Daniel… quand sonnera l'heure du danger, vous ne me verrez pas faiblir ! *(Il sort à droite.)*

Scène 11

DANIEL, *seul.* Allons donc !… c'est impossible !… je ne peux pas laisser M. Perrichon se battre avec un zouave !… C'est qu'il a du cœur[2], le beau-père !… je le connais, il ne fera pas de concessions… De son côté, le commandant… et tout cela pour une faute d'orthographe ! *(Cherchant.)* Voyons donc… si je prévenais l'autorité[3] ? oh ! non !… au fait, pourquoi pas ? personne ne le saura. D'ailleurs, je n'ai pas le choix des moyens… *(Il prend un buvard et un encrier sur une table près de la porte d'entrée et se place au guéridon.)* Une lettre au préfet de police !… *(Écrivant.)* « Monsieur le Préfet… j'ai l'honneur de… » *(Parlant tout en écrivant.)* Une ronde passera par là à point nommé… le hasard aura tout fait… et l'honneur sera sauf. *(Il plie et cachette sa lettre et remet en place ce qu'il a pris.)* Maintenant, il s'agit de la faire porter tout de suite… Jean doit être là ! *(Il sort en appelant.)* Jean ! Jean ! *(Il disparaît dans l'antichambre[4].)*

---

1. **Mes affaires :** mes affaires personnelles et familiales (papiers, souvenirs…).
2. **Du cœur :** du courage.
3. **L'autorité :** ceux qui ont le pouvoir de faire que le duel n'ait pas lieu, c'est-à-dire la police.
4. **Antichambre :** pièce d'attente pour les visiteurs, située à l'entrée des grands appartements et des belles maisons.

Scène 12 PERRICHON, *seul.*

Il entre en tenant à la main une lettre qu'il lit.

« Monsieur le Préfet, je crois devoir prévenir l'autorité que deux insensés ont l'intention de croiser le fer demain, à midi moins un quart… » *(Parlé.)* Je mets moins un quart afin qu'on soit exact. Il suffit quelquefois d'un quart d'heure !… *(Reprenant sa lecture.)* « à midi moins un quart… dans les bois de la Malmaison. Le rendez-vous est à la porte du garde… Il appartient à votre haute administration de veiller sur la vie des citoyens. Un des combattants est un ancien commerçant, père de famille, dévoué à nos institutions et jouissant d'une bonne notoriété[1] dans son quartier. Veuillez agréer, Monsieur le Préfet, etc. » S'il croit me faire peur, ce commandant !… Maintenant l'adresse… *(Il écrit.)* « Très pressé, communication importante... » comme ça, ça arrivera… Où est Jean ?

Scène 13 PERRICHON, DANIEL, *puis* MADAME PERRICHON, HENRIETTE, *puis* JEAN.

DANIEL, *entrant par le fond, sa lettre à la main.* Impossible de trouver ce domestique. *(Apercevant Perrichon.)* Oh ! *(Il cache sa lettre.)*

PERRICHON. Daniel ? *(Il cache aussi sa lettre.)*

DANIEL. Eh bien, monsieur Perrichon ?

---

1. **Jouissant d'une bonne notoriété :** étant connu favorablement.

PERRICHON. Vous voyez... je suis calme ... comme le bronze ! *(Apercevant sa femme et sa fille.)* Ma femme, silence ! *(Il descend.)*

MADAME PERRICHON, *à son mari.* Mon ami, le maître de piano d'Henriette vient de nous envoyer des billets de concert pour demain... midi...

PERRICHON, *à part.* Midi !

HENRIETTE. C'est à son bénéfice[1] ; tu nous accompagneras ?

PERRICHON. Impossible ! demain, ma journée est prise !

MADAME PERRICHON. Mais tu n'as rien à faire.

PERRICHON. Si... j'ai une affaire... très importante... demande à Daniel.

DANIEL. Très importante !

MADAME PERRICHON. Quel air sérieux ! *(À son mari.)* Tu as la figure longue d'une aune[2], on dirait que tu as peur !

PERRICHON. Moi ? peur ! On me verra sur le terrain !

DANIEL, *à part.* Aïe !

MADAME PERRICHON. Le terrain !

PERRICHON, *à part.* Sapristi ! ça m'a échappé !

HENRIETTE, *courant à lui.* Un duel ! papa !

PERRICHON. Eh bien ! oui, mon enfant, je ne voulais pas te le dire, ça m'a échappé : ton père se bat !...

MADAME PERRICHON. Mais avec qui ?

PERRICHON. Avec un commandant au 2e zouaves !

MADAME PERRICHON ET HENRIETTE, *effrayées.* Ah ! grand Dieu !

PERRICHON. Demain, à midi, dans le bois de la Malmaison, à la porte du garde !

MADAME PERRICHON, *allant à lui.* Mais tu es fou... toi ! un bourgeois !

---

1. **À son bénéfice :** c'est lui qui a organisé ce concert, à son profit.
2. **Aune :** ancienne mesure de longueur (correspondant à 1,20 m), supprimée en 1840.

PERRICHON. Madame Perrichon, je blâme le duel... mais il y a des circonstances où l'homme se doit à son honneur ! *(À part, montrant sa lettre.)* Où est donc Jean ?

MADAME PERRICHON, *à part.* Non ! c'est impossible ! je ne souffrirai pas... *(Elle va à la table au fond et écrit à part.)* « Monsieur le Préfet de police... »

JEAN, *paraissant.* Le dîner est servi !

PERRICHON, *s'approchant de Jean et bas.* Cette lettre à son adresse, c'est très pressé ! *(Il s'éloigne.)*

DANIEL, *bas à Jean.* Cette lettre à son adresse... c'est très pressé ! *(Il s'éloigne.)*

MADAME PERRICHON, *bas à Jean.* Cette lettre à son adresse... c'est très pressé !

PERRICHON. Allons ! à table !

HENRIETTE, *à part.* Je vais faire prévenir monsieur Armand. *(Elle entre à droite.)*

MADAME PERRICHON, *à Jean avant de sortir.* Chut !

DANIEL, *de même.* Chut !

PERRICHON, *de même.* Chut ! *(Ils disparaissent tous les trois.)*

JEAN, *seul.* Quel est ce mystère ? *(Lisant l'adresse des trois lettres.)* Monsieur le préfet... Monsieur le préfet... *(Étonné, et avec joie.)* Tiens ! il n'y a qu'une course !

Clefs d'analyse Acte III, scènes 9 à 13

Action et personnages

1. Pourquoi Perrichon pense-t-il que le commandant Mathieu est un « faux commandant » (sc. 9, l. 49) ?
2. Pourquoi Daniel cherche-t-il absolument à intervenir à la fin de la scène 9 ?
3. Pourquoi Madame Perrichon et Henriette sont-elles si « effrayées » dans la scène 13 (l. 28) ?
4. Quels sont les personnages qui écrivent une lettre ? À qui, et pour quoi faire ?
5. Quels autres traits de son caractère Perrichon dévoile-t-il dans ces cinq scènes ?
6. À la fin de l'acte III, quels sont les différents problèmes de Perrichon ? Ceux d'Armand ? Ceux de Daniel ?

Langue

7. Donnez l'étymologie des mots « orthographe » (sc. 9, l. 34) et « moustaches » (sc. 9, l. 63) ; « zouave » (sc. 11, l. 2) et « hasard » (sc. 11, l. 11).
8. Donnez la formation des mots « combattants » (sc. 12, l. 7), « commerçant » (sc. 12, l. 8) et « communication » (sc. 12, l. 11). Quel est le sens de leur préfixe ?
9. Relevez et analysez les propositions subordonnées du début de la réplique de Perrichon (sc. 12, l. 1 à 3, de « je crois » à « soit exact »). Complétez la phrase qui suit au moyen d'une proposition subordonnée, dont vous donnerez la nature et la fonction.

Genre ou thèmes

10. Expliquez l'aparté de Daniel dans la scène 9 : « Diable ! l'horizon s'obscurcit ! » (l. 25).
11. Quelle information la dernière réplique du commandant dans la scène 9 donne-t-elle au spectateur ? Daniel et Perrichon peuvent-ils la comprendre ?

12. Quel portrait caricatural Labiche fait-il des militaires de carrière à travers les réflexions de Perrichon ? Comment nomme-t-on cette forme de comique ?
13. Comment le spectateur peut-il comprendre le sens du cri poussé tout à coup par Perrichon (sc. 10, l. 24) ?
14. Comparez les deux monologues des scènes 11 et 12. Quelle est leur fonction dramatique respective ?
15. Quel effet la rédaction à répétition des lettres fait-elle sur le spectateur ? Quels moyens Labiche utilise-t-il à la fin de la scène 13 pour renforcer cet effet ?

Écriture

16. Comme le commandant le fait pour la langue française, vous défendez une spécialité nationale ou régionale (la gastronomie, la chanson, un sport...). Rédigez une « lettre ouverte » adressée à ceux qui n'y sont pas aussi sensibles que vous.
17. Perrichon convoque ses témoins. Il leur explique les causes et l'enjeu du duel... selon lui ! Écrivez la scène.
18. Jean n'a pas porté les lettres. Personne ne devrait venir arrêter le duel. Le commandant, Perrichon et leurs témoins se retrouvent sur le terrain. Racontez.

Pour aller plus loin

19. Faites une recherche sur la Garde nationale et sur les zouaves à l'époque de Perrichon.
20. Pourquoi Perrichon « blâme »-t-il le duel (sc. 13, l. 34) ? Faites une recherche, et indiquez quels étaient les codes et les habitudes concernant le duel au XIXe siècle.

✱ À retenir

Les auteurs de vaudevilles du XIXe siècle faisaient de nombreuses allusions à l'actualité, et donc à différents faits politiques, économiques ou culturels. C'était une façon de s'assurer la complicité du public, qui s'amusait de ces sous-entendus.

ACTE IV

Scène 1 DANIEL, *puis* PERRICHON.

Un jardin. Bancs, chaises, table rustique ; à droite, un pavillon praticable[1].

DANIEL, *entrant par le fond à gauche.* Dix heures ! le rendez-vous n'est que pour midi. *(Il s'approche du pavillon et fait signe.)* Psit ! psit !

PERRICHON, *passant la tête à la porte du pavillon.* Ah ! c'est vous... ne faites pas de bruit... dans une minute je suis à vous. *(Il rentre.)*

DANIEL, *seul.* Ce pauvre M. Perrichon ! il a dû passer une bien mauvaise nuit... heureusement, ce duel n'aura pas lieu.

PERRICHON, *sortant du pavillon avec un grand manteau.* Me voici... je vous attendais...

DANIEL. Comment vous trouvez-vous ?

PERRICHON. Calme comme le bronze !

DANIEL. J'ai des épées dans la voiture.

PERRICHON, *entrouvrant son manteau.* Moi, j'en ai là.

DANIEL. Deux paires !

PERRICHON. Une peut casser... je ne veux pas me trouver dans l'embarras.

DANIEL, *à part.* Décidément, c'est un lion !... *(Haut.)* Le fiacre est à la porte... si vous voulez...

PERRICHON. Un instant ! Quelle heure est-il ?

DANIEL. Dix heures !

PERRICHON. Je ne veux pas arriver avant midi... ni après. *(À part.)* Ça ferait tout manquer.

---

1. ***Un pavillon praticable :*** une petite maison dans un jardin. Cet élément du décor doit être réellement construit sur la scène pour que les acteurs puissent l'utiliser. Il ne doit donc pas seulement être figuré (c'est-à-dire peint en trompe-l'œil sur une toile de fond).

DANIEL. Vous avez raison... pourvu qu'on soit à l'heure... *(À part.)* Ça ferait tout manquer.

PERRICHON. Arriver avant... c'est de la fanfaronnade[1]... après, c'est de l'hésitation ; d'ailleurs, j'attends Majorin... je lui ai écrit hier soir un mot pressant.

DANIEL. Ah ! le voici.

Scène 2 LES MÊMES, MAJORIN.

MAJORIN. J'ai reçu ton billet, j'ai demandé un congé... De quoi s'agit-il ?

PERRICHON. Majorin... je me bats dans deux heures !...

MAJORIN. Toi ? allons donc ! et avec quoi ?

PERRICHON, *ouvrant son manteau et laissant voir ses épées.* Avec ceci.

MAJORIN. Des épées !

PERRICHON. Et j'ai compté sur toi pour être mon second[2]. *(Daniel remonte.)*

MAJORIN. Sur moi ? permets, mon ami, c'est impossible !

PERRICHON. Pourquoi ?

MAJORIN. Il faut que j'aille à mon bureau... je me ferais destituer[3].

PERRICHON. Puisque tu as demandé un congé...

MAJORIN. Pas pour être témoin !... On leur fait des procès, aux témoins !

---

1. **C'est de la fanfaronnade :** c'est vouloir trop faire le brave.
2. **Mon second :** mon second témoin.
3. **Destituer :** renvoyer.

PERRICHON. Il me semble, monsieur Majorin, que je vous ai rendu assez de services pour que vous ne refusiez pas de m'assister dans une circonstance capitale de ma vie.

MAJORIN, *à part.* Il me reproche ses six cents francs !

PERRICHON. Mais, si vous craignez de vous compromettre... si vous avez peur...

MAJORIN. Je n'ai pas peur... *(Avec amertume*[1]*.)* D'ailleurs, je ne suis pas libre... tu as su m'enchaîner par les liens de la reconnaissance. *(Grinçant.)* Ah ! la reconnaissance !

DANIEL, *à part.* Encore un !

MAJORIN. Je ne te demande qu'une chose... c'est d'être de retour à deux heures... pour toucher mon dividende... je te rembourserai immédiatement, et alors... nous serons quittes !...

DANIEL. Je crois qu'il est temps de partir. *(À Perrichon.)* Si vous désirez faire vos adieux à madame Perrichon et à votre fille...

PERRICHON. Non ! je veux éviter cette scène... ce serait des pleurs, des cris... elles s'attacheraient à mes habits pour me retenir... Partons ! *(On entend chanter dans la coulisse.)* Ma fille !

Scène 3 LES MÊMES, HENRIETTE, *puis* MADAME PERRICHON.

HENRIETTE, *entrant en chantant, et un arrosoir à la main.* Tra la la ! tra la la ! *(Parlé.)* Ah ! c'est toi, mon petit papa...

PERRICHON. Oui... tu vois... nous partons... avec ces deux messieurs... il le faut... *(Il l'embrasse avec émotion.)* Adieu !

---

1. **Avec amertume :** en montrant sa rancœur.

Le Voyage de Monsieur Perrichon, mise en scène de Jean le Poulain.
Avec Yvonne Gaudeau (Madame Perrichon),
Jean le Poulain (Monsieur Perrichon), Marcelline Collard (Henriette).
Comédie-Française, le 22 janvier 1982.

HENRIETTE, *tranquillement.* Adieu, papa. *(À part.)* Il n'y a rien à craindre, maman a prévenu le préfet de police… et moi, j'ai prévenu monsieur Armand. *(Elle va arroser les fleurs.)*

PERRICHON, *s'essuyant les yeux et la croyant près de lui.* Allons ! ne pleure pas !… Si tu ne me revois pas… songe… *(S'arrêtant.)* Tiens ! elle arrose !

MAJORIN, *à part.* Ça me révolte ! mais c'est bien fait !

MADAME PERRICHON, *entrant avec des fleurs à la main, à son mari.* Mon ami… peut-on couper quelques dahlias ?

PERRICHON. Ma femme !

MADAME PERRICHON. Je cueille un bouquet pour mes vases.

PERRICHON. Cueille… dans un pareil moment je n'ai rien à te refuser… je vais partir, Caroline.

MADAME PERRICHON, *tranquillement.* Ah ! tu vas là-bas ?

PERRICHON. Oui… je vais… là-bas, avec ces deux messieurs.

MADAME PERRICHON. Allons ! tâche d'être revenu pour dîner.

PERRICHON ET MAJORIN. Hein ?

PERRICHON, *à part.* Cette tranquillité !… est-ce que ma femme ne m'aimerait pas ?

MAJORIN, *à part.* Tous les Perrichon manquent de cœur ! C'est bien fait !

DANIEL. Il est l'heure… si vous voulez être au rendez-vous à midi.

PERRICHON, *vivement.* Précis !

MADAME PERRICHON, *vivement.* Précis ! vous n'avez pas de temps à perdre.

HENRIETTE. Dépêche-toi, papa.

PERRICHON. Oui…

MAJORIN, *à part.* Ce sont elles qui le renvoient ! Quelle jolie famille !

PERRICHON. Allons ! Caroline ! ma fille ! adieu ! adieu ! *(Ils remontent.)*

Scène 4 LES MÊMES, ARMAND.

ARMAND, *paraissant au fond.* Restez, monsieur Perrichon, le duel n'aura pas lieu.

TOUS. Comment ?

HENRIETTE, *à part.* Monsieur Armand ! j'étais bien sûre de lui !

MADAME PERRICHON, *à Armand.* Mais expliquez-vous...

ARMAND. C'est bien simple... je viens de faire mettre à Clichy le commandant Mathieu.

TOUS. À Clichy ?

DANIEL, *à part.* Il est très actif, mon rival !

ARMAND. Oui... cela avait été convenu depuis un mois entre le commandant et moi... et je ne pouvais trouver une meilleure occasion de lui être agréable... *(À Perrichon.)* et de vous en débarrasser !

MADAME PERRICHON, *à Armand.* Ah ! monsieur, que de reconnaissance !...

HENRIETTE, *bas.* Vous êtes notre sauveur !

PERRICHON, *à part.* Eh bien ! je suis contrarié de ça... j'avais si bien arrangé ma petite affaire... À midi moins un quart, on nous mettait la main dessus...

MADAME PERRICHON, *allant à son mari.* Remercie donc !

PERRICHON. Qui ça ?

MADAME PERRICHON. Eh bien ! monsieur Armand !

PERRICHON. Ah ! oui. *(À Armand, sèchement.)* Monsieur, je vous remercie.

MAJORIN, *à part.* On dirait que ça l'étrangle. *(Haut.)* Je vais toucher mon dividende. *(À Daniel.)* Croyez-vous que la caisse soit ouverte ?

DANIEL. Oui, sans doute. J'ai une voiture, je vais vous conduire. Monsieur Perrichon, nous nous reverrons ; vous avez une réponse à me donner.

MADAME PERRICHON, *bas, à Armand.* Restez. Perrichon a promis de se prononcer aujourd'hui : le moment est favorable, faites votre demande.

ARMAND. Vous croyez ?... C'est que...

HENRIETTE, *bas.* Courage, monsieur Armand !

ARMAND. Vous ! Oh ! quel bonheur !

MAJORIN. Adieu, Perrichon.

DANIEL, *saluant.* Madame... mademoiselle. *(Henriette et madame Perrichon sortent par la droite. Majorin et Daniel par le fond, à gauche.)*

Scène 5 PERRICHON, ARMAND *puis* JEAN *et* LE COMMANDANT.

PERRICHON, *à part.* Je suis très contrarié... très contrarié !... J'ai passé une partie de la nuit à écrire à mes amis que je me battais... je vais être ridicule.

ARMAND, *à part.* Il doit être bien disposé... Essayons. *(Haut.)* Mon cher monsieur Perrichon...

PERRICHON, *sèchement.* Monsieur ?

ARMAND. Je suis plus heureux que je ne puis le dire d'avoir pu terminer cette désagréable affaire.

PERRICHON, *à part.* Toujours son petit air protecteur ! *(Haut.)* Quant à moi, monsieur, je regrette que vous m'ayez privé du plaisir de donner une leçon à ce professeur de grammaire !

ARMAND. Comment ! mais vous ignorez donc que votre adversaire...

PERRICHON. Est un ex-commandant au 2e zouaves... Eh bien, après ?...J'estime l'armée, mais je suis de ceux qui savent la regarder en face ! *(Il passe fièrement devant lui.)*

Jean, *paraissant et annonçant.* Le commandant Mathieu.

Perrichon. Hein ?

Armand. Lui ?

Perrichon. Vous me disiez qu'il était en prison !

Le commandant, *entrant.* J'y étais, en effet, mais j'en suis sorti. *(Apercevant Armand.)* Ah ! monsieur Armand ! je viens de consigner le montant du billet que je vous dois[1], plus les frais…

Armand. Très bien, commandant… Je pense que vous ne me gardez pas rancune… vous paraissiez si désireux d'aller à Clichy.

Le commandant. Oui, j'aime Clichy… mais pas les jours où je dois me battre. *(À Perrichon.)* Je suis désolé, monsieur, de vous avoir fait attendre… Je suis à vos ordres[2].

Jean, *à part.* Oh ! ce pauvre bourgeois !

Perrichon. Je pense, monsieur, que vous me rendrez la justice de croire que je suis tout à fait étranger à l'incident qui vient de se produire.

Armand. Tout à fait ! car, à l'instant même, monsieur me manifestait ses regrets de ne pouvoir se rencontrer avec vous.

Le commandant, *à Perrichon.* Je n'ai jamais douté, monsieur, que vous ne fussiez un loyal adversaire.

Perrichon, *avec hauteur.* Je me plais à l'espérer, monsieur.

Jean, *à part.* Il est très solide, le bourgeois.

Le commandant. Mes témoins sont à la porte… partons !

Perrichon. Partons !

Le commandant, *tirant sa montre.* Il est midi.

Perrichon, *à part.* Midi !… déjà !

Le commandant. Nous serons là-bas à deux heures.

Perrichon, *à part.* Deux heures ! ils seront partis.

---

1. **Consigner le montant du billet que je vous dois :** déposer à la banque le montant de la somme d'argent que je vous dois.
2. **Je suis à vos ordres :** je suis prêt et me mets à votre disposition (pour organiser le duel).

ARMAND. Qu'avez-vous donc ?

PERRICHON. J'ai… j'ai… messieurs, j'ai toujours pensé qu'il y avait quelque noblesse à reconnaître ses torts.

LE COMMANDANT ET JEAN, *étonnés.* Hein ?

ARMAND. Que dit-il ?

PERRICHON. Jean… laisse-nous !

ARMAND. Je me retire aussi.

LE COMMANDANT. Oh ! pardon ! je désire que tout ceci se passe devant témoins.

ARMAND. Mais…

LE COMMANDANT. Je vous prie de rester.

PERRICHON. Commandant… vous êtes un brave militaire… et moi… j'aime les militaires ! je reconnais que j'ai eu des torts envers vous… et je vous prie de croire que… *(À part.)* Sapristi ! devant mon domestique ! *(Haut.)* Je vous prie de croire qu'il n'était ni dans mes intentions… *(Il fait signe de sortir à Jean, qui a l'air de ne pas comprendre. À part.)* Ça m'est égal, je le mettrai à la porte ce soir. *(Haut.)* …ni dans ma pensée… d'offenser un homme que j'estime et que j'honore !

JEAN, *à part.* Il canne[1], le patron !

LE COMMANDANT. Alors, monsieur, ce sont des excuses ?

ARMAND, *vivement.* Oh ! des regrets !…

PERRICHON. N'envenimez pas ! n'envenimez pas ! laissez parler le commandant.

LE COMMANDANT. Sont-ce des regrets ou des excuses ?

PERRICHON, *hésitant.* Mais… moitié l'un… moitié l'autre…

LE COMMANDANT. Monsieur, vous avez écrit en toutes lettres sur le livre du Montanvert… « Le commandant est un… »

PERRICHON, *vivement.* Je retire le mot ! il est retiré !

LE COMMANDANT. Il est retiré… ici… mais, là-bas ! il s'épanouit au beau milieu d'une page que tous les voyageurs peuvent lire.

---

1. **Il canne :** mot d'argot qui signifie « il s'enfuit » (devant le danger).

PERRICHON. Ah ! dame ! pour ça ! à moins que je ne retourne moi-même l'effacer…

LE COMMANDANT. Je n'osais pas vous le demander, mais puisque vous me l'offrez…

PERRICHON. Moi ?

LE COMMANDANT. J'accepte.

PERRICHON. Permettez…

LE COMMANDANT. Oh ! je ne vous demande pas de repartir aujourd'hui… non !… mais demain.

PERRICHON ET ARMAND. Comment ?

LE COMMANDANT. Comment ? Par le premier convoi, et vous bifferez[1] vous-même, de bonne grâce, les deux méchantes lignes échappées à votre improvisation… Ça m'obligera[2].

PERRICHON. Oui… comme ça… il faut que je retourne en Suisse ?

LE COMMANDANT. D'abord, le Montanvert étant en Savoie… maintenant, c'est la France !

PERRICHON. La France, reine des nations !

JEAN. C'est bien moins loin !

LE COMMANDANT, *ironiquement.* Il ne me reste plus qu'à rendre hommage à vos sentiments de conciliation[3].

PERRICHON. Je n'aime pas à verser le sang !

LE COMMANDANT, *riant.* Je me déclare complètement satisfait. *(À Armand.)* Monsieur Desroches, j'ai encore quelques billets en circulation ; s'il vous en passe un par les mains, je me recommande toujours à vous ! *(Saluant.)* Messieurs, j'ai bien l'honneur de vous saluer !

PERRICHON, *saluant.* Commandant… *(Le Commandant sort.)*

JEAN, *à Perrichon, tristement.* Eh bien ! monsieur… voilà votre affaire arrangée.

---

1. **Bifferez :** barrerez.
2. **Ça m'obligera :** cela me fera plaisir et me dédommagera définitivement.
3. **Vos sentiments de conciliation :** vos efforts et votre capacité à faire en sorte que tout s'arrange au mieux.

Perrichon, *éclatant.* Toi, je te donne ton compte[1] ! va faire des paquets, animal !

Jean, *stupéfait.* Ah bah ! qu'est-ce que j'ai fait ? *(Il sort par la droite.)*

Scène 6 Armand, Perrichon

Perrichon, *à part.* Il n'y a pas à dire... j'ai fait des excuses ! moi, dont on verra le portrait au musée... Mais à qui la faute ? à ce M. Armand !

Armand, *à part, au fond.* Pauvre homme ! je ne sais que lui dire.

Perrichon, *à part.* Ah çà ! est-ce qu'il ne va pas s'en aller ? Il a peut-être encore quelque service à me rendre... Ils sont jolis, ses services !

Armand. Monsieur Perrichon !

Perrichon. Monsieur ?

Armand. Hier, en vous quittant, je suis allé chez mon ami... l'employé à l'administration des douanes... Je lui ai parlé de votre affaire.

Perrichon, *sèchement.* Vous êtes trop bon.

Armand. C'est arrangé !... on ne donnera pas suite au procès.

Perrichon. Ah !

Armand. Seulement, vous écrirez au douanier quelques mots de regrets.

Perrichon, *éclatant.* C'est ça ! Des excuses !... encore des excuses ! De quoi vous mêlez-vous, à la fin ?

Armand. Mais...

Perrichon. Est-ce que vous ne perdrez pas l'habitude de vous fourrer à chaque instant dans ma vie ?

---

1. **Je te donne ton compte :** je te règle définitivement ce que je te dois de ton salaire du mois (c'est-à-dire : je te renvoie).

ARMAND. Comment ?

PERRICHON. Oui, vous touchez à tout ! Qui est-ce qui vous a prié de faire arrêter le commandant ? Sans vous, nous étions tous là-bas, à midi !

ARMAND. Mais rien ne vous empêchait d'y être à deux heures.

PERRICHON. Ce n'est pas la même chose.

ARMAND. Pourquoi ?

PERRICHON. Vous me demandez pourquoi ? Parce que... non ! vous ne saurez pas pourquoi ! *(Avec colère.)* Assez de services, monsieur ! assez de services ! Désormais, si je tombe dans un trou, je vous prie de m'y laisser ! j'aime mieux donner cent francs au guide... car ça coûte cent francs... il n'y a pas de quoi être si fier ! Je vous prierai aussi de ne plus changer les heures de mes duels, et de me laisser aller en prison si c'est ma fantaisie !

ARMAND. Mais, monsieur Perrichon...

PERRICHON. Je n'aime pas les gens qui s'imposent... c'est de l'indiscrétion ! Vous m'envahissez !...

ARMAND. Permettez...

PERRICHON. Non, monsieur ! on ne me domine pas, moi ! Assez de services ! *(Il sort par le pavillon.)*

Scène 7 ARMAND, *puis* HENRIETTE.

ARMAND, *seul.* Je n'y comprends plus rien... je suis abasourdi[1] !

HENRIETTE, *entrant par la droite, au fond.* Ah ! monsieur Armand !

ARMAND. Mademoiselle Henriette !

HENRIETTE. Avez-vous causé avec papa ?

ARMAND. Oui, mademoiselle.

1. **Abasourdi :** stupéfait.

HENRIETTE. Eh bien ?

ARMAND. Je viens d'acquérir la preuve de sa parfaite antipathie[1].

HENRIETTE. Que dites-vous là ? C'est impossible.

ARMAND. Il a été jusqu'à me reprocher de l'avoir sauvé au Montanvert... J'ai cru qu'il allait m'offrir cent francs de récompense.

HENRIETTE. Cent francs ! Par exemple !

ARMAND. Il dit que c'est le prix !...

HENRIETTE. Mais c'est horrible ! c'est de l'ingratitude !...

ARMAND. J'ai senti que ma présence le froissait, le blessait... et je n'ai plus, mademoiselle, qu'à vous faire mes adieux.

HENRIETTE, *vivement.* Mais, pas du tout ! restez !

ARMAND. À quoi bon ? C'est à Daniel qu'il réserve votre main.

HENRIETTE. M. Daniel ?... mais je ne veux pas !

ARMAND, *avec joie.* Ah !

HENRIETTE, *se reprenant.* Ma mère ne veut pas ! Elle ne partage pas les sentiments de papa ; elle est reconnaissante, elle ; elle vous aime... Tout à l'heure, elle me disait encore : « Monsieur Armand est un honnête homme... un homme de cœur, et ce que j'ai de plus cher au monde, je le lui donnerai... »

ARMAND. Mais, ce qu'elle a de plus cher... c'est vous !

HENRIETTE, *naïvement.* Je le crois.

ARMAND. Ah ! mademoiselle, que je vous remercie !

HENRIETTE. Mais, c'est maman qu'il faut remercier.

ARMAND. Et vous, mademoiselle, me permettez-vous d'espérer que vous aurez pour moi la même bienveillance ?

HENRIETTE, *embarrassée.* Moi, monsieur ?...

ARMAND. Oh ! parlez ! je vous en supplie...

HENRIETTE, *baissant les yeux.* Monsieur, lorsqu'une demoiselle est bien élevée, elle pense toujours comme sa maman. *(Elle se sauve.)*

---

1. **Sa parfaite antipathie :** son sentiment absolument négatif, sa répugnance à mon égard.

Clefs d'analyse Acte IV, scènes 1 à 7

Action et personnages

1. Où se trouvent les personnages ?
2. Que s'est-il passé entre les deux actes et combien de temps s'est-il écoulé ?
3. Pourquoi ni Perrichon ni Daniel ne veulent-ils arriver en avance sur les lieux du duel (sc. 1) ? Pourquoi ont-ils ensuite peur d'être en retard (sc. 3) ?
4. Pourquoi Majorin ne veut-il pas être le second témoin de Perrichon (sc. 2) ? Pourquoi ne peut-il cependant pas refuser ?
5. Pourquoi Perrichon se résout-il à faire ses excuses au commandant dans la scène 5 ? Qu'est-ce qui le rend alors le plus mal à l'aise ?
6. Que demande le commandant à Perrichon en guise de dédommagement (sc. 5) ?
7. Quels sont les différents aspects de la situation qui amusent le commandant (sc. 5) ?
8. Quel moyen Henriette utilise-t-elle pour faire sa déclaration à Armand dans la scène 7 ? Pour quelle raison ne peut-elle pas être plus directe ?

Langue

9. Perrichon a fait un lapsus comique en employant « bronze » pour « bonze » (sc. 1). À quoi est due son erreur ?
10. Analysez les compléments du verbe « être » dans les répliques de la scène 5 (l. 25 à 43).
11. Quelle différence existe-t-il entre les termes « regret » et « excuse » (sc. 5) ? Donnez leur définition et cherchez des mots appartenant au même champ lexical.
12. Comment se traduit la colère de Perrichon dans la scène 6 ? Observez les types et formes de phrases et la ponctuation.

Genre ou thèmes

13. Quels sont les deux coups de théâtre successifs des scènes 4 et 5 ? En quoi sont-ils également contrariants pour Monsieur Perrichon ?

14. Quelle est la fonction des apartés de Majorin dans l'ensemble de ces scènes ?
15. Quels sont les différents registres que l'on peut retrouver dans l'ensemble de ces scènes

Écriture

16. Madame Perrichon doit demander à son mari la permission de cueillir des fleurs pour orner ses vases… (sc. 3). Pour quels autres aspects de la vie quotidienne doit-elle aussi le faire, à votre avis ? À partir de votre réponse, racontez une journée banale de Madame Perrichon.
17. Daniel se retrouve lui aussi seul avec Henriette. Rédigez la scène.
18. Majorin rentre chez lui. Il raconte à sa femme ce qui vient de se passer, en insistant sur ses sentiments à l'égard de la famille Perrichon. Rédigez, en faisant varier les registres.

Pour aller plus loin

19. Le duel vous paraît-il être une bonne ou une mauvaise solution pour régler un conflit ou un désaccord ? Organisez un débat oral.
20. Faites une recherche sur les droits des domestiques sous le second Empire.

* À retenir

Le terme « registre » définit l'impression générale qui se dégage d'un texte et produit un certain effet sur le lecteur. Ainsi, ce qui fait rire appartient au registre comique ; ce qui émeut au registre pathétique ; ce qui met en avant les sentiments personnels au registre lyrique ; ce qui insiste sur une action héroïque au registre épique ; ce qui se moque pour dénoncer au registre satirique.

Scène 8 ARMAND, *puis* DANIEL.

ARMAND, *seul.* Elle m'aime ! elle me l'a dit !... Ah ! je suis trop heureux !... ah !...

DANIEL, *entrant.* Bonjour, Armand.

ARMAND. C'est vous... *(À part.)* Pauvre garçon !

DANIEL. Voici l'heure de la philosophie[1]... M. Perrichon se recueille... et, dans dix minutes, nous allons connaître sa réponse. Mon pauvre ami !

ARMAND. Quoi donc ?

DANIEL. Dans la campagne[2] que nous venons de faire, vous avez commis fautes sur fautes...

ARMAND, *étonné.* Moi ?

DANIEL. Tenez, je vous aime, Armand... et je veux vous donner un bon avis qui vous servira... pour une autre fois !... Vous avez un défaut mortel !

ARMAND. Lequel ?

DANIEL. Vous aimez trop à rendre service... c'est une passion malheureuse !

ARMAND, *riant.* Ah ! par exemple !

DANIEL. Croyez-moi... j'ai vécu plus que vous, et dans un monde... plus avancé ! Avant d'obliger un homme, assurez-vous bien d'abord que cet homme n'est pas un imbécile.

ARMAND. Pourquoi ?

DANIEL. Parce qu'un imbécile est incapable de supporter longtemps cette charge écrasante qu'on appelle la reconnaissance ; il y a même des gens d'esprit[3] qui sont d'une constitution[4] si délicate...

---

1. **Voici l'heure de la philosophie :** le moment de la réflexion et de la décision finale est arrivé.
2. **La campagne :** le combat.
3. **Gens d'esprit :** personnes intelligentes.
4. **Constitution :** caractère, tempérament.

ARMAND, *riant.* Allons ! développez votre paradoxe[1] !

DANIEL. Voulez-vous un exemple : M. Perrichon...

PERRICHON, *passant sa tête à la porte du pavillon.* Mon nom !

DANIEL. Vous me permettrez de ne pas le ranger dans la catégorie des hommes supérieurs... *(Perrichon disparaît.)* Eh bien ! M. Perrichon vous a pris tout doucement en grippe.

ARMAND. J'en ai bien peur.

DANIEL. Et pourtant vous lui avez sauvé la vie. Vous croyez peut-être que ce souvenir lui rappelle un grand acte de dévouement ? Non ! il lui rappelle trois choses : *primo*, qu'il ne sait pas monter à cheval ; *secundo*, qu'il a eu tort de mettre des éperons, malgré l'avis de sa femme ; *tertio*, qu'il a fait en public une culbute ridicule...

ARMAND. Soit, mais...

DANIEL. Et comme il fallait un bouquet à ce beau feu d'artifice, vous lui avez démontré, comme deux et deux font quatre, que vous ne faisiez aucun cas de son courage, en empêchant un duel... qui n'aurait pas eu lieu.

ARMAND. Comment ?

DANIEL. J'avais pris mes mesures... Je rends aussi quelquefois des services...

ARMAND. Ah ! vous voyez bien !

DANIEL. Oui, mais moi, je me cache... je me masque ! Quand je pénètre dans la misère de mon semblable, c'est avec des chaussons et sans lumière... comme dans une poudrière[2] ! D'où je conclus...

ARMAND. Qu'il ne faut obliger personne ?

DANIEL. Oh ! non ! mais il faut opérer nuitamment[3] et choisir sa victime ! D'où je conclus que ledit Perrichon vous déteste ; votre présence l'humilie, il est votre obligé[4], votre inférieur ! vous l'écrasez, cet homme !

---

1. **Paradoxe :** idée qui va contre la logique.
2. **Poudrière :** lieu où l'on entrepose les explosifs.
3. **Nuitamment :** en profitant de l'obscurité (c'est-à-dire ici de la bêtise de Perrichon), pour ne pas se faire voir.
4. **Votre obligé :** vous lui avez rendu service, il vous doit donc sa reconnaissance.

ARMAND. Mais c'est de l'ingratitude !...

DANIEL. L'ingratitude est une variété de l'orgueil... « C'est l'indépendance du cœur », a dit un aimable philosophe[1]. Or, M. Perrichon est le carrossier le plus indépendant de la carrosserie française ! J'ai flairé cela tout de suite... Aussi ai-je suivi une marche tout à fait opposée à la vôtre.

ARMAND. Laquelle ?

DANIEL. Je me suis laissé glisser... exprès ! dans une petite crevasse... pas méchante.

ARMAND. Exprès ?

DANIEL. Vous ne comprenez pas ? Donner à un carrossier l'occasion de sauver son semblable, sans danger pour lui, c'est un coup de maître ! Aussi, depuis ce jour, je suis sa joie, son triomphe, son fait d'armes ! Dès que je parais, sa figure s'épanouit, son estomac se gonfle, il lui pousse des plumes de paon dans sa redingote[2] !... Je le tiens, comme la vanité tient l'homme !... Quand il se refroidit, je le ranime, je le souffle... je l'imprime dans le journal... à trois francs la ligne !

ARMAND. Ah bah ! c'est vous ?

DANIEL. Parbleu ! Demain, je le fais peindre à l'huile... en tête à tête avec le mont Blanc ! J'ai demandé un tout petit mont Blanc et un immense Perrichon ! Enfin, mon ami, retenez bien ceci... et surtout gardez-moi le secret : les hommes ne s'attachent point à nous en raison des services que nous leur rendons, mais en raison de ceux qu'ils nous rendent !

ARMAND. Les hommes... c'est possible... mais les femmes ?

DANIEL. Eh bien, les femmes...

ARMAND. Elles comprennent la reconnaissance, elles savent garder au fond du cœur le souvenir du bienfait.

DANIEL. Dieu ! la jolie phrase !

---

1. **Un aimable philosophe :** un homme de pensées, que je trouve agréable et plaisant.
2. **Redingote :** longue veste croisée que portent les bourgeois.

ARMAND. Heureusement, Mme Perrichon ne partage pas les sentiments de son mari.

DANIEL. La maman est peut-être pour vous... mais j'ai pour moi l'orgueil du papa... du haut du Montanvert, ma crevasse me protège !

Scène 9 LES MÊMES, PERRICHON, MADAME PERRICHON, HENRIETTE.

PERRICHON, *entrant accompagné de sa femme et de sa fille ; il est très grave.* Messieurs, je suis heureux de vous trouver ensemble... vous m'avez fait tous deux l'honneur de me demander la main de ma fille... vous allez connaître ma décision...

ARMAND, *à part.* Voici le moment.

PERRICHON, *à Daniel, souriant.* Monsieur Daniel... mon ami !...

ARMAND, *à part.* Je suis perdu !

PERRICHON. J'ai déjà fait beaucoup pour vous... je veux faire plus encore... Je veux vous donner...

DANIEL, *remerciant.* Ah ! monsieur !

PERRICHON, *froidement.* ...Un conseil !... *(Bas.)* Parlez moins haut quand vous serez près d'une porte.

DANIEL, *étonné.* Ah bah !

PERRICHON. Oui... je vous remercie de la leçon. *(Haut.)* Monsieur Armand... vous avez moins vécu que votre ami... vous calculez moins, mais vous me plaisez davantage... Je vous donne ma fille...

ARMAND. Ah ! monsieur !...

PERRICHON. Et remarquez que je ne cherche pas à m'acquitter envers vous... je désire rester votre obligé... *(Regardant Daniel.)* car il n'y a que les imbéciles qui ne savent pas supporter cette charge écrasante qu'on appelle la reconnaissance. *(Il se dirige vers la droite ; madame Perrichon fait passer sa fille du côté d'Armand, qui lui donne le bras.)*

DANIEL, *à part.* Attrape !

ARMAND, *à part.* Oh ! ce pauvre Daniel !

DANIEL. Je suis battu ! *(À Armand.)* Après comme avant, donnons-nous la main.

ARMAND. Oh ! de grand cœur !

DANIEL, *allant à Perrichon.* Ah ! monsieur Perrichon, vous écoutez aux portes !

PERRICHON. Eh ! mon Dieu ! un père doit chercher à s'éclairer[1]... *(Le prenant à part.)* Voyons, la... vraiment, est-ce que vous vous y êtes jeté exprès ?

DANIEL. Où ça ?

PERRICHON. Dans le trou ?

DANIEL. Oui... mais je ne le dirai à personne.

PERRICHON. Je vous en prie ! *(Poignées de main.)*

Scène 10 LES MÊMES, MAJORIN.

MAJORIN. Monsieur Perrichon, j'ai touché mon dividende à trois heures... et j'ai gardé la voiture de monsieur pour vous rapporter plus tôt vos six cents francs... les voici !

PERRICHON. Mais cela ne pressait pas.

MAJORIN. Pardon, cela pressait... considérablement ! maintenant nous sommes quittes... complètement quittes.

---

1. **S'éclairer** : s'instruire, pour distinguer le vrai du faux.

PERRICHON, *à part.* Quand je pense que j'ai été comme ça !...

MAJORIN, *à Daniel.* Voici le numéro de votre voiture, il y a sept quarts d'heure. *(Il lui donne une carte.)*

PERRICHON. Monsieur Armand, nous resterons chez nous demain soir... et, si vous voulez nous faire plaisir, vous viendrez prendre une tasse de thé...

ARMAND, *courant à Perrichon, bas.* Demain ? vous n'y pensez pas !... et votre promesse au commandant ! *(Il retourne près d'Henriette.)*

PERRICHON. Ah ! c'est juste ! *(Haut.)* Ma femme... ma fille... nous repartons demain matin pour la mer de Glace.

HENRIETTE, *étonnée.* Hein ?

MADAME PERRICHON. Ah ! par exemple ! nous en arrivons ! pourquoi y retourner ?

PERRICHON. Pourquoi ? peux-tu le demander ? tu ne devines pas que je veux revoir l'endroit où Armand m'a sauvé ?

MADAME PERRICHON. Cependant...

PERRICHON. Assez ! ce voyage m'est commandant... *(Se reprenant.)* ...commandé par la reconnaissance !

Clefs d'analyse Acte IV, scènes 8 à 10

Action et personnages

1. Quel sentiment pousse Daniel à confier à Armand son « secret » (sc. 8) ?
2. À quels autres défauts Daniel associe-t-il l'ingratitude (sc. 8) ?
3. Pourquoi Armand ne perd-il pas confiance après sa conversation avec Daniel (sc. 8) ?
4. Madame Perrichon et Henriette ont-elles entendu la conversation de Daniel et Armand dans la scène 8 ?
5. La leçon qu'a reçue Monsieur Perrichon l'a-t-elle corrigé de tous ses défauts ? Relevez une réplique significative dans la scène 9.
6. De quelle qualité Daniel fait-il preuve dans la scène 9 ?
7. Comment Monsieur Perrichon justifie-t-il son départ imminent pour la mer de Glace (sc. 10) ?

Langue

8. Cherchez l'étymologie du mot « passion » (sc. 8, l. 16). Quels sont les différents sens de ce terme ? Quel sens Daniel lui donne-t-il ?
9. Expliquez la formation des adjectifs « incapable » (sc. 8, l. 23) et « aimable » (sc. 8, l. 57). Quel est le sens de leur suffixe ?
10. Donnez des mots de la même famille que « nuitamment » (sc. 8, l. 51).
11. Formez les adverbes à partir des adjectifs de la scène 8 : « heureux » (l. 2), « pauvre » (l. 4), « mortel » (l. 14), « délicate » (l. 25), « ridicule » (l. 37), « indépendant » (l. 58), « exprès » (l. 62), « méchante » (l. 63), « immense » (l. 76) et « jolie » (l. 84).

Genre ou thèmes

12. Qu'est-ce que le spectateur sait de plus que les deux jeunes gens dans la scène 8 ? Quel en est pour lui l'intérêt ?
13. Quelle phrase célèbre la dernière réplique de Daniel (sc. 8) vous rappelle-t-elle ? Quel effet cet emploi parodique fait-il sur le spectateur ?

14. Quelle est l'utilité dramatique du personnage de Majorin dans la dernière scène ?

15. La scène 9 est le dénouement. Daniel et Armand ont terminé leur combat loyal. Qui a gagné et qui a perdu, dans cette histoire ?

Écriture

16. Caché derrière la porte, Perrichon laisse d'abord exploser sa colère et son dépit. Puis il se calme progressivement et réfléchit à la leçon qu'il vient de recevoir, en faisant son autocritique. Rédigez son monologue intérieur.

17. Perrichon annonce à sa femme et à Henriette qu'il a choisi Armand. Rédigez leur dialogue.

18. Rédigez l'histoire du *Voyage de Monsieur Perrichon* sous forme de fable, dont la moralité sera la fin de la réplique de Daniel : « Les hommes ne s'attachent point à nous… qu'ils nous rendent. » (sc. 8, l. 77 à 79).

Pour aller plus loin

19. Armand parle de « défaut mortel » (sc. 8, l. 14). Recherchez quels sont les sept péchés capitaux, selon la religion catholique, et les vertus qui s'opposent à eux. Quels sont ceux qui sont illustrés d'une façon ou d'une autre dans *Le Voyage de Monsieur Perrichon* ?

✻ À retenir

Les confidences faites à un personnage digne de confiance permettent à son auteur de faire part au spectateur de ses sentiments ou de ses intentions. Elles peuvent servir aussi à dénouer les fils de l'intrigue en informant d'un secret ou d'une stratégie, comme c'est le cas dans cette pièce. On emploie régulièrement le rôle du confident dans les comédies classiques et les tragédies.

L'action

Avez-vous bien lu ?

1. Vrai ou faux ?

a. Acte I	Vrai	Faux
Monsieur Perrichon est un ancien carrossier.	☐	☐
Majorin est venu à la gare pour emprunter 500 francs à Monsieur Perrichon.	☐	☐
Monsieur Perrichon a l'habitude de voyager en train.	☐	☐
Monsieur Perrichon prend trois billets de première pour Chamonix.	☐	☐
Madame Perrichon n'aime pas le café.	☐	☐
Henriette est sortie du pensionnat depuis peu.	☐	☐
Henriette a rencontré Daniel et Armand au bal Mabille.	☐	☐
Armand connaît la destination de la famille Perrichon.	☐	☐
Monsieur Perrichon a offert un carnet et un livre à sa fille.	☐	☐
Monsieur Perrichon porte un chapeau melon.	☐	☐
Le commandant Mathieu voyage en compagnie de son domestique Joseph.	☐	☐
b. Acte II		
L'action se situe dans une auberge de Montanvert.	☐	☐
Daniel et Armand sont en train de déjeuner.	☐	☐
Armand est banquier.	☐	☐
Le commandant Mathieu prend le café avec eux.	☐	☐
Monsieur Perrichon a oublié de mettre ses éperons.	☐	☐
Monsieur Perrichon fait une chute de cheval.	☐	☐
Daniel sauve Monsieur Perrichon.	☐	☐
Monsieur Perrichon a repéré un petit bouleau auquel il comptait se retenir.	☐	☐
Monsieur Perrichon part sur la mer de Glace avec Daniel et Armand.	☐	☐
Monsieur Perrichon sauve Daniel.	☐	☐
Le commandant fait une faute d'orthographe sur le livre des voyageurs.	☐	☐
Armand déclare son amour pour Henriette à Madame Perrichon.	☐	☐
Monsieur Perrichon traite le commandant de « paltoquet ».	☐	☐
Les Perrichon, Armand et Daniel repartent en traîneau.	☐	☐
c. Acte III		
Monsieur Perrichon préfère avoir Armand pour gendre.	☐	☐
Madame Perrichon préfère avoir Armand pour gendre.	☐	☐
Henriette préfère avoir Armand pour mari.	☐	☐
Majorin vient rendre l'argent qu'il a emprunté à Monsieur Perrichon.	☐	☐
Le journal a fait paraître un article relatant l'acte d'héroïsme de Monsieur Perrichon.	☐	☐
Monsieur Perrichon a insulté un gendarme de Genève.	☐	☐
Monsieur Perrichon reçoit une assignation à comparaître devant la 6e chambre.	☐	☐
Daniel demande à Monsieur Perrichon de poser pour un peintre.	☐	☐
Le commandant provoque Monsieur Perrichon en duel.	☐	☐
Daniel, Monsieur Perrichon et Madame Perrichon écrivent tous les trois à Monsieur le Préfet.	☐	☐
Henriette écrit à Armand pour lui demander son aide.	☐	☐

d. Acte IV		
Le duel doit se dérouler dans les bois de la Malmaison.	☐	☐
Le duel est retardé de deux heures.	☐	☐
Monsieur Perrichon est vaincu au duel.	☐	☐
Monsieur Perrichon fait des excuses au commandant.	☐	☐
Armand est devenu insupportable à Monsieur Perrichon.	☐	☐
Daniel explique à Armand qu'il a flatté et trompé Monsieur Perrichon.	☐	☐
Monsieur Perrichon entend cette conversation.	☐	☐
Monsieur Perrichon donne sa fille en mariage à Armand.	☐	☐
Monsieur Perrichon annonce leur départ pour le lendemain à destination des Pyrénées.	☐	☐
e. Sur la pièce		
Le Voyage de Monsieur Perrichon a été écrit en 1860.	☐	☐
À cette époque, Napoléon Ier était empereur des Français.	☐	☐
Eugène Labiche a écrit plus de 150 pièces de théâtre.	☐	☐
Eugène Labiche a travaillé avec 47 collaborateurs.	☐	☐

Les personnages

1. Pour rendre leurs traits de caractère aux différents personnages, trouvez l'antonyme des adjectifs qualificatifs qui leur sont attribués.

a. Monsieur Perrichon est :

reconnaissant : ....

modeste : ....

courageux : ....

humble : ....

méfiant : ....

spirituel : ....

b. Madame Perrichon est :

irréfléchie : ....

dépensière : ....

extravagante : ....

insouciante : ....

faible : ....

c. Henriette est

excentrique : ....

méchante : ....

désobéissante : ....

ingrate : ....

maussade : ....

bavarde : ....

d. Armand est :

désobligeant : ....

faux : ....

opportuniste : ....

désagréable : ....

e. Daniel est :

droit : ....

sincère : ....

hautain : ....

arrogant : ....

dur : ....

direct : ....

f. Le commandant Mathieu est :

doux : ....

calme : ....

impassible : ....

indifférent : ....

froid : ....

pondéré : ....

g. Majorin est :

épanoui : ....

enjoué : ....

indifférent : ....

spontané : ....

Objets et accessoires

1. À qui appartient (ou aurait dû appartenir...) ?

a. Le petit carnet :
b. Le panama :
c. Le cigare :
d. Le livre sur les bords de la Saône :
e. Les éperons :
f. Le bâton ferré :
g. Le livre de voyageurs :
h. La banque :
i. La société de paquebots :
j. Le caoutchouc :
k. Les épées :

l. Les trois montres :

m. La somme de six cents francs :

n. Le sac de nuit :

o. Les reconnaissances de dettes :

2. Barrez les éléments du décor et les accessoires que le metteur en scène n'a pas besoin d'employer s'il suit fidèlement les instructions de Labiche :

anorak – appareil photo – assiettes et couverts – banc – billets de train – bonnet – boussole – canapé – cartes de visite – chaises – chapeau de paille léger – chaussons de montagne – corde – cravache – écharpes – épées – éperons – gants de laine – guéridon – imperméable – journal – jumelles – lunettes de soleil – malle – montre – mouchoir – ombrelles – pantoufles – papier à lettre et enveloppes – parapluies – petit chariot – piolet – plateau – portefeuille – registre – sac à dos – stylo à bille – tasses – téléphone – valises

Les motivations des voyageurs

Reliez chaque voyageur à ce qui a motivé son départ.

Monsieur Perrichon •	• suivre son mari
Madame Perrichon •	• profiter de sa retraite en faisant du tourisme
Henriette •	• fuir une liaison ruineuse
Daniel •	• rentrer en contact avec Henriette et ses parents
Armand •	• accompagner ses parents
Le commandant Mathieu •	• visiter la mer de Glace

Qui est où ?

Barrez le nom des personnages qui ne se sont pas trouvés dans les lieux indiqués :

1. Gare de Lyon :
a. le commandant Mathieu
b. Anita
c. Joseph
2. Bal du 8e arrondissement :
a. Monsieur Perrichon
b. Henriette
c. Marguerite
3. Bal Mabille :
a. Madame Perrichon
b. le commandant
c. Anita
4. Montanvert :
a. Madame Perrichon
b. l'aubergiste
c. Majorin
5. Lyon :
a. Madame Perrichon
b. Daniel
c. Majorin
6. Genève :
a. Monsieur Perrichon
b. Joseph
c. Armand
7. Ferney :
a. Monsieur Perrichon
b. Henriette
c. Daniel
8. Lausanne :
a. Monsieur Perrichon
b. Daniel
c. Armand
9. Clichy :
a. Monsieur Perrichon
b. le commandant

Avez-vous bien lu ?

c. Daniel

10. Chez Perrichon :

a. Majorin

b. le commandant

c. Joseph

11. Les bois de La Malmaison :

a. Monsieur Perrichon

b. le commandant

c. Armand

Le voyage au temps de Monsieur Perrichon

En 1860, la famille Perrichon voyage en train. Quel autre moyen de transport aurait-elle pu prendre ? Entourez-les dans la liste suivante :

autobus – automobile – avion – ballon dirigeable – barque – bateau – bathyscaphe – bicyclette – bobsleigh – calèche – camion – canoë – caravelle – catamaran – chaise à porteurs – char d'assaut – deltaplane – destroyer – diligence – échasses – ferry-boat – frégate – funiculaire – fusée – hélicoptère – hydravion – hydroglisseur – hydroptère – jeep – ketch – landau – lévitation – luge – métropolitain – montgolfière – motocyclette – motoneige – off-shore – paquebot – patins à roulettes – péniche – pirogue – planche à voile – porte-avion – pousse-pousse – prao – ouad – rollers – scooter – scooter des mers – skate-board – skis – sloop – sous-marin – tandem – tapis roulant – tapis volant – TGV – tombereau – tracteur – tracteur routier – traîneau – tramway – tricycle – trottinette – ULM – vélocipède

Qui fait quoi ?

Associez à sa définition les noms de tous les métiers cités ou évoqués dans *Le Voyage de Monsieur Perrichon*.

1. artiste peintre •	• a. fait du commerce par profession
2. aubergiste •	• b. fait les commissions du public
3. banquier •	• c. fait un travail de bureau, comme la comptabilité, le courrier…
4. carrossier •	• d. porteur employé dans une compagnie de chemin de fer
5. cocher •	• e. vend des titres de voyage ou des billets
6. commerçant •	• f. fait exécuter les décisions de justice
7. commissionnaire •	• g. enseigne comment l'on joue du piano
8. concierge •	• h. montre le chemin, renseigne …
9. cuisinière •	• i. vend des pâtisseries
10. domestique •	• j. artiste qui fait de la peinture
11. douanier •	• k. fait partie de l'armée, dans laquelle il exerce un métier
12. employé de bureau •	• l. collabore à la rédaction d'un journal
13. facteur •	• m. chargé d'administrer la police
14. factionnaire •	• n. vend et pose des tissus d'ameublement
15. gérant de société •	• o. tient une auberge
16. guichetier •	• p. contrôle le passage des biens à la frontière
17. guide de montagne •	• q. conduit une voiture à cheval
18. huissier •	• r. a la garde d'un immeuble, d'une maison importante
19. journaliste •	• s. fait la cuisine pour ceux qui l'emploient
20. maître de piano •	• t. prête de l'argent, en prenant des intérêts
21. marchande de gâteaux •	• u. dirige une banque
22. marchande de livres •	• v. soldat chargé de faire le guet
23. militaire de carrière •	• w. soldat fantassin, à l'origine algérien, au service de la France
24. préfet de police •	• x. fabrique et vend des voitures
25. tapissier •	• y. administre une société
26. usurier •	• z. fait le commerce des livres
27. zouave •	• zz. employé pour le service d'un particulier et l'entretien de sa maison

POUR APPROFONDIR

Thèmes et prolongements

Labiche parle de son temps

Le Voyage de Monsieur Perrichon s'adresse particulièrement aux contemporains de Labiche. On y trouve en effet de nombreuses allusions à des faits d'actualité récents ou à des usages du second Empire. Pour un lecteur actuel, il n'est pas toujours évident de s'en rendre compte.

Le chemin de fer

Le premier chemin de fer reliait Liverpool à Manchester et fut inauguré le 15 septembre 1830. En France, les grands réseaux ne furent constitués qu'à partir de 1852. Pour le voyageur, prendre le train était alors un grand événement et même un exploit : la vitesse était extraordinaire (environ 18 km/h !), et même enivrante : on avait à peine le temps d'apercevoir le paysage ! Quant au confort (surtout en 1re classe...), rien à voir avec celui des diligences, plutôt détestable. Et puis les horaires sont précis, l'enregistrement des bagages est complexe.... Comme le dit Monsieur Perrichon, tout affolé : « c'est le départ qui est laborieux ! »...

La gare de Lyon

La famille Perrichon arrive dans la gare de Lyon à Paris, toute neuve, très moderne, à l'architecture audacieuse et fonctionnelle. Construite en 1852 sur les plans d'un ingénieur et d'un architecte associés (ce qui est encore inhabituel), elle innove en matière de construction métallique. Comme le dit Monsieur Perrichon, cela mérite vraiment d'être « examiné » ! Elle est aussi l'occasion de développer l'urbanisation d'un quartier qui se modernise (en 1860, Paris vient juste de passer de 12 à 20 arrondissements). Les gares favorisent l'apparition de nouveaux métiers : employés de guichets, commissionnaires, facteurs... Louis Hachette y installe des librairies qui proposent des romans légers et des guides de voyage (comme *Les Bords de la Saône*...). À leur proximité, les hôtels pour voyageurs fleurissent rapidement : les Perrichon y descendent à chaque étape...

Le Salon de peinture

Le Salon de peinture (que le public nommait « Exposition ») était alors un moment essentiel dans la vie artistique parisienne. On y présentait les œuvres d'artistes peintres et sculpteurs issus pour la plupart de l'Académie des Beaux-Arts, et choisies par un jury très sévère. C'était donc la seule véritable possibilité pour un artiste de rentrer en contact avec le public (et un acheteur éventuel), car il n'existait pas d'autres expositions régulières. Réaliser un grand « tableau de Salon » permettait ainsi de lancer une carrière en se faisant connaître (perspective qui comble d'aise Monsieur Perrichon).

Le journal et la presse

Durant le XIXe siècle, le marché de la presse se développe et devient progressivement un produit de consommation courante. Même une jeune fille bien élevée comme Henriette a accès au journal, grâce auquel elle peut satisfaire sa curiosité et se distraire. Elle y trouve des informations sur la vie littéraire et théâtrale, des échos de la vie mondaine, et, surtout, des romans feuilletons qui permettront à des auteurs célèbres de se faire connaître (comme Alexandre Dumas, avec *Les Trois Mousquetaires* en 1844). Rien ne peut vraiment la choquer, car la censure est très sévère : Napoléon III veille à ne pas heurter la bourgeoisie bien-pensante.

Le duel

Il est en principe interdit, mais finalement admis et courant au XIXe siècle. La présence de témoins désignés y est absolument indispensable. À l'origine réservé à l'aristocratie pour laver les questions d'honneur, il concerne désormais davantage l'insulte publique. On se bat à la moindre occasion : bousculade, rivalité amoureuse, vexation… et même pour une faute d'orthographe…

✣ Petite histoire du vaudeville

Avec *Le Voyage de Monsieur Perrichon*, Labiche fait représenter sa première grande comédie. Le public parisien ne connaissait alors de lui que ses vaudevilles, qui l'avaient rendu riche et célèbre mais qui ne le satisfaisaient plus. Mais qu'est-ce donc que le vaudeville, ce genre populaire méprisé alors par les intellectuels ?

De la chanson satirique…

À l'origine, au XVe siècle, les « vaudevires » étaient des textes satiriques que l'on chantait sur des airs connus. Au XVIe siècle, le terme se transforme et devient le « vaudeville », qui désigne une chanson populaire de circonstance, très gaie et composée sur un air facile à retenir.

Au XVIIe siècle, le vaudeville se définit désormais comme une chanson satirique qui se moque d'un sujet d'actualité. Les textes de ces chansons populaires sont imprimés dans des recueils, mais les musiques n'y sont pas notées : on se contente alors d'indiquer la mention « sur l'air de… ». Elles sont débitées par les bonimenteurs et rencontrent un grand succès dans les spectacles de rue.

Dans le dernier quart du XVIIe siècle, le vaudeville se fait désormais entendre sur les scènes de théâtre, grâce aux Comédiens-Italiens qui lancent la mode du spectacle mixte, à la fois parlé et chanté. Il remporte ensuite et très vite un grand succès dans les théâtres de foire. Mais l'Académie de musique et la Comédie-Française tentent de le faire disparaître, car il fait ombrage à leur prestige en parodiant parfois les œuvres « sérieuses » qu'elles représentent.

L'interprétation des vaudevilles n'est donc plus autorisée pendant un certain temps. Mais les comédiens ambulants arrivent à détourner l'interdiction. Ils montrent aux spectateurs des pancartes sur lesquelles se trouve inscrit le texte des chansons : pendant que le public chante, ils se contentent de mimer les scènes, sans prononcer une parole !… C'est ce qu'on a appelé les pièces « à écriteaux ».

À la pièce légère

Au XVIIIe siècle, après la levée de l'interdiction, le vaudeville est définitivement devenu un genre théâtral. Il désigne une petite pièce de théâtre amusante, dont l'intrigue est simple et bâtie sur un canevas traditionnel (le thème des amours contrariées, par exemple.). On y trouve un grand nombre de parties chantées, et elle se conclut par un « tour de chant » : chaque acteur chante un couplet, et tout le monde reprend le refrain avec le public, ce qui permet d'achever la pièce avec gaieté et légèreté.

La vogue du vaudeville ne fait ensuite que s'accentuer, car le peuple a besoin de frivolité après les horreurs de la Révolution et de la Terreur. Durant le premier Empire, il échappe sans problème à la censure de Napoléon, et sous le second Empire, il est favorisé par Napoléon III, qui encourage toute forme de théâtre de divertissement.

Au début du XIXe siècle, la production des vaudevilles est donc considérable, et le plus souvent au détriment de la qualité. Ils sont essentiellement de deux types : ceux qui s'appuient sur un fait d'actualité (par exemple *La Fée électricité*, de Clairville), et ceux qui tendent vers la farce, en parodiant des opéras ou des drames (comme *La Cage de l'oncle Toc*, parodie du drame *La Case de l'oncle Tom*…). Eugène Scribe, puis Labiche ont fait évoluer le genre à partir de 1825, en proposant des « pièces bien faites », c'est-à-dire dont l'intrigue est plus rigoureuse et plus travaillée. C'est ce qui explique le succès du *Chapeau de paille d'Italie*, en 1851, considéré comme le prototype du « vaudeville de mouvement ».

✣ *Le Voyage de Monsieur Perrichon* : comédie de caractère ou comédie de mœurs ?

La comédie est une pièce de théâtre destinée à faire rire. Elle se caractérise par le fait que son auteur lui attribue une fonction : montrer à des hommes un comportement humain critiquable, afin qu'ils s'en amusent, et éventuellement qu'ils en comprennent la portée. Labiche avait-il l'intention de donner une leçon avec *Le Voyage de Monsieur Perrichon* ?

La fonction de la comédie

La comédie est née dans la Grèce ancienne. Elle a d'abord désigné les différentes cérémonies chantées en l'honneur de Dionysos, puis la pièce de théâtre en général. Le philosophe grec Aristote (né en 384 avant J.-C.) l'a ensuite opposée à la tragédie dans son ouvrage intitulé *La Poétique*. Il distinguait les deux genres en s'appuyant sur le rang social des personnages, la nature de l'action et l'intention de l'auteur. Pour lui, en effet, la comédie devait s'appuyer en premier lieu sur cette devise : « *castigat ridendo mores* » *(elle corrige les mœurs en riant)*. La comédie servait donc de leçon en présentant au spectateur l'aspect ridicule d'un comportement ou d'une situation, afin qu'il prenne conscience de certains défauts humains et qu'il s'en écarte le plus possible. On peut dire que le premier auteur dramatique français à faire le meilleur usage de cette méthode d'enseignement a été Molière, au XVIIe siècle...

La comédie est désormais un genre hybride qui emprunte à plusieurs domaines (comme la farce, ou le vaudeville...) et qui a donné lieu à toutes sortes de variations : comédies de mœurs, d'intrigue, de caractère, de cape et d'épée, comédies-ballets..., la comédie rosse ou comédie mufle (à la fin du XIXe siècle) et la comédie musicale (au XXe siècle)... Mais sa finalité première reste la même : elle distrait par le rire, même si elle ne cherche plus obligatoirement à éduquer par la prise de conscience.

Comédie de caractère…

Les comédies qui cherchent essentiellement à donner une leçon sont désormais désignées par deux termes : la comédie de caractère et la comédie de mœurs.

La comédie de caractère présente un personnage qui endosse à lui tout seul un défaut humain bien définissable. Elle le montre dans ses relations avec les autres et exposé aux différentes situations dans lesquelles l'entraîne son défaut. Elle en détaille également les circonstances et les conséquences possibles. Ainsi, l'ingratitude de Monsieur Perrichon, due à son orgueil, l'amène à se montrer injuste, arrogant et vantard. Elle le conduit aussi à dévoiler sa lâcheté et son incompétence… Dans le quatrième acte, Daniel se fait le porte-parole de Labiche en expliquant à Armand, médusé, son erreur stratégique. Il redit en même temps au spectateur la finalité de cette pièce : prendre conscience d'un travers humain afin de le combattre.

Et comédie de mœurs

La comédie de mœurs fait la critique des mœurs et des habitudes d'une société donnée. La satire est donc plus large, plus politique aussi, et donc souvent plus dangereuse pour son auteur. Labiche n'a d'ailleurs pas échappé à la censure, très rigoureuse à son époque, tout comme Molière au moment de la représentation du *Tartuffe* ou de *Dom Juan*. Même si elle se fait discrète, il semble bien que la critique des mœurs apparaisse dans la comédie de Labiche. C'est essentiellement le rôle du personnage de Majorin qui souligne, dans ses nombreux apartés, tout le mépris qu'il ressent pour la famille Perrichon, représentante type de la bourgeoisie triomphante du second Empire.

✣ Faire du théâtre au XIXe siècle

Sous le second Empire, le théâtre tient une place extrêmement importante dans la vie des Parisiens. Les salles sont nombreuses et proposent des spectacles variés. Chacun peut donc y trouver son plaisir, selon sa condition sociale, ses goûts ou sa culture…

Le drame

À la Comédie-Française ou au théâtre de la Porte-Saint-Martin, le public cultivé va assister à des tragédies ou des comédies classiques, mais également à des drames. Cette nouvelle forme de tragédie se dégage des contraintes classiques et présente les passions dans toutes les classes de la société. On les qualifie différemment : « romantiques » ou « historiques » (comme *Lucrèce Borgia*, de Victor Hugo), « d'idées » (*Chatterton*, d'Alfred de Vigny), « bourgeois » (*Le gendre de Monsieur Poirier*, de Émile Augier) et même « post-romantiques » (*La Dame aux camélias*, d'Alexandre Dumas fils).

Le mélodrame

Les Parisiens se rendent aussi régulièrement sur le boulevard du Temple, plus simplement nommé « le boulevard ». Là, dans l'un de ses innombrables théâtres (le théâtre Déjazet, l'Ambigu-Comique…), très intéressés par ce qui se passe aussi bien dans la salle que sur la scène, ils peuvent assister à des représentations de mélodrames (comme *Cœlina ou l'Enfant du mystère*, de Pixérécourt). Ce genre exagérait les épisodes violents et présentait des personnages et des paysages stéréotypés (le tyran, la jeune fille pure, la forêt sinistre…). On soulignait les moments forts de l'action à grand renfort de musique et d'effets spéciaux, dont l'un constituait parfois le « clou du spectacle ». C'est d'ailleurs à cause du mélodrame que le boulevard a été surnommé le « boulevard du crime », car on y dénombrait un nombre impressionnant de meurtres et de violences de toutes sortes…

Le vaudeville et les opérettes

Les spectateurs sont alors friands de vaudevilles, dont les plus grands représentants sont Eugène Scribe *(L'Ours et le Pacha)* et Eugène Labiche. Les opérettes, sortes de petits opéras comiques, font également fureur, grâce aux talents réunis de musiciens et de librettistes (*La Vie parisienne*, d'Offenbach, Meilhac et Halévy). En effet, ce théâtre de divertissement satisfait parfaitement la bourgeoisie parisienne en quête de plaisirs et de légèreté.

La vie théâtrale sous le second Empire

Les grands travaux d'Haussmann entrepris à partir de 1853 ont bien endommagé le « boulevard du crime » et fait disparaître un grand nombre de salles de théâtre et de baraques de forains dans lesquelles le public venait se divertir le dimanche. L'activité théâtrale reste cependant extrêmement active jusqu'à la fin du XIXe siècle et la Première Guerre mondiale. On la retrouve aussi dans les rues, illustrée par les affiches (celles de Jules Chéret, par exemple) placardées sur les colonnes Morris.... Elle se prolonge également dans les cafés (le Café de Paris, par exemple) et les restaurants, les salons littéraires et même les bals populaires, tel le Bal Mabille, où se retrouvent certaines actrices, ces fameuses « cocottes » à l'image d'Anita, qui recherchent la protection financière des bourgeois fortunés. Elle est largement commentée dans les journaux par des critiques de théâtre, dont le plus connu est Francisque Sarcey. Elle est pimentée par les articles des journalistes qui vivent des « potins », font la réputation des hommes du monde et la publicité (la « banque ») des vedettes du spectacle dont ils exposent les démêlés amoureux... La vie théâtrale s'étend donc bien au-delà des scènes de théâtre.

Textes et images

❖ Les voyageurs et leurs drôles de machines

Premier voyage en chemin de fer pour Monsieur Perrichon, qui compte bien profiter de tous les instants et noter chacune de ses impressions.... Quelles sensations nouvelles, étranges et voluptueuses va-t-il donc découvrir, à l'instar des pionniers de la vitesse sur leurs drôles de machines ?

Documents :

❶ Victor Hugo, *En voyage - France et Belgique*, Librairie du Victor Hugo illustré (lettre du 22 août 1837 à sa femme Adèle).

❷ Émile Zola, *Les Trois Villes : Paris* (1897), Stock, « Littérature française », 1998.

❸ Antoine de Saint-Exupéry, *L'Aviateur* (1926), Gallimard, « Bibliothèque de la Pléiade », 2000.

❹ *Chemin de fer de Versailles à Paris*. Imagerie de Dembour à Metz, XIXe siècle.

❺ *Chemin de fer*. Dessin.

❻ *Bicyclettes Starley avec des roues à rayons*. Photographie, vers 1874.

❼ *Planche en noir et blanc représentant divers appareils d'aviation*. Dessin à la plume.

❶ *Anvers, 22 août, 4 heures du soir.*

Je suis réconcilié avec les chemins de fer ; c'est décidément très beau. Le premier que j'avais vu n'était qu'un ignoble chemin de fabrique. J'ai fait hier la course d'Anvers à Bruxelles et le retour.

Je partais à quatre heure dix minutes et j'étais revenu à huit heures un quart, ayant dans l'intervalle passé cinq quarts d'heure à Bruxelles et fait vingt-trois lieues de France.

C'est un mouvement magnifique et qu'il faut avoir senti pour s'en rendre compte. La rapidité est inouïe. Les fleurs du bord du chemin ne

Pour approfondir

sont plus des fleurs, ce sont des taches ou plutôt des raies rouges ou blanches ; plus de points, tout devient raie ; les blés sont de grandes chevelures jaunes, les luzernes sont de longues tresses vertes ; les villes, les clochers et les arbres dansent et se mêlent follement à l'horizon. [...]
Le soir, comme je revenais, la nuit tombait. J'étais dans la première voiture. Le remorqueur flamboyait devant moi avec un bruit terrible, et de grands rayons rouges, qui teignaient les arbres et les collines, tournaient avec les roues. Le convoi qui allait à Bruxelles a rencontré le nôtre. Rien d'effrayant comme ces deux rapidités qui se côtoyaient, et qui, pour les voyageurs, se multipliaient l'une par l'autre. [...]
Il faut beaucoup d'efforts pour ne pas se figurer que le cheval de fer est une bête véritable. On l'entend souffler au repos, se lamenter au départ, japper en route ; il sue, il tremble, il siffle, il hennit, il se ralentit, il s'emporte ; il jette tout le long de sa route une fiente de charbons ardents et une urine d'eau bouillante ; d'énormes raquettes d'étincelles jaillissent à tout moment de ses roues ou de ses pieds, comme tu voudras, et son haleine s'en va sur nos têtes en beaux nuages de fumée blanche qui se déchirent aux arbres de la route. [...]
Il est vrai qu'il ne faut pas voir le cheval de fer ; si on le voit, toute la poésie s'en va. À l'entendre, c'est un monstre, à le voir ce n'est qu'une machine.

2 Pierre, devenu le camarade de ses trois grands gaillards de neveux, avait, en quelques leçons, appris d'eux à monter à bicyclette, pour les accompagner dans leurs promenades matinales ; et, deux fois déjà, il les avait suivis, ainsi que Marie, du côté du lac d'Enghien, par des routes durement pavées. Un matin que la jeune fille s'était promis de le mener jusqu'à la forêt de Saint-Germain, avec Antoine, celui-ci, au dernier moment, ne put partir. Elle était habillée, culotte de serge noire, petite veste de même étoffe, sur une chemisette de soie écrue, et la matinée d'avril était si claire, si douce, qu'elle s'écria gaiement :

Textes et images

« Ah ! tant pis, je vous emmène, nous ne serons que tous les deux !... Je veux absolument que vous connaissiez la joie de rouler sur une belle route, parmi de beaux arbres. »

Mais, comme il n'était pas encore très aguerri, ils décidèrent qu'ils iraient, avec leurs machines, prendre le chemin de fer jusqu'à Maisons-Laffitte. Puis, après avoir gagné la forêt à bicyclette, ils la traverseraient, remonteraient vers Saint-Germain, d'où ils reviendraient également par le chemin de fer.

« Vous serez ici pour le déjeuner ? demanda Guillaume, que cette escapade amusait et qui regardait en souriant son frère, tout en noir aussi, bas de laine noirs, culotte et veston de cheviotte noire.

– Oh ! certainement, répondit Marie. Il est à peine huit heures, nous avons bien le temps. D'ailleurs, mettez-vous à table, nous rentrerons toujours. »

[...]

Mais le train s'arrêtait à Maisons-Laffitte. Ils descendirent, et tout de suite ils prirent la route de la forêt. Cette route monte légèrement jusqu'à la porte de Maisons, encombrée de charrettes, les jours de marché.

« Je prends la tête, n'est-ce pas ? cria gaiement Marie, puisque les voitures vous inquiètent encore. »

Elle filait devant lui, mince et droite sur sa selle, et elle se retournait parfois avec un bon sourire, pour voir s'il la suivait. À chaque voiture dépassée, elle le rassurait en disant les mérites de leurs machines, qui toutes deux sortaient de l'usine Grandidier. C'étaient des Lisettes, le modèle populaire auquel Thomas lui-même avait travaillé, perfectionnant la construction, et que les magasins du *Bon Marché* vendaient couramment cent cinquante francs. Peut-être avaient-elles l'aspect un peu lourd, mais elles étaient d'une solidité et d'une résistance parfaites. De vraies machines pour faire de la route, disait-elle.

3 Les roues puissantes écrasent les cales.

Battue par le vent de l'hélice, l'herbe jusqu'à vingt mètres en arrière semble couler. Le pilote, d'un mouvement de son poignet, déchaîne ou retient l'orage.

Le bruit s'enfle maintenant dans les reprises répétées jusqu'à devenir un milieu dense, presque solide, où le corps se trouve enfermé. Quand le pilote le sent combler en lui tout ce qu'il y a d'inassouvi, il pense : « C'est bien » puis, du revers des doigts, frôle la carlingue : rien ne vibre. Il jouit de cette énergie si condensée. [...]

Le moteur tourne maintenant au ralenti. On dénoue les poignées de main comme des amarres, les dernières. Le silence est étrange quand on agrafe sa ceinture et les deux courroies du parachute, puis quand d'un mouvement des épaules, du buste on ajuste à son corps la carlingue. C'est le départ même : dès lors on est d'un autre monde.

Le dernier coup d'œil au tablier, horizon de cadrans, étroit mais expressif – on ramène, soigneux, l'altimètre au zéro – un dernier coup d'œil aux ailes épaisses et courtes, un signe de tête : « Ça va ... », le voilà libre.

Ayant roulé lentement vent debout il tire à lui la manette des gaz, le moteur, décharge de poudre, s'embrase, l'avion, happé par l'hélice, fonce. Les premiers bonds sur l'air élastique s'amortissent et le pilote, qui mesure sa vitesse aux réactions des commandes, se propage en elle, se sent grandir.

Le sol maintenant paraît se tendre, filer sous les roues comme une courroie. Ayant jugé l'air d'abord impalpable puis fluide, devenu maintenant solide, le pilote s'y appuie et monte.

Textes et images

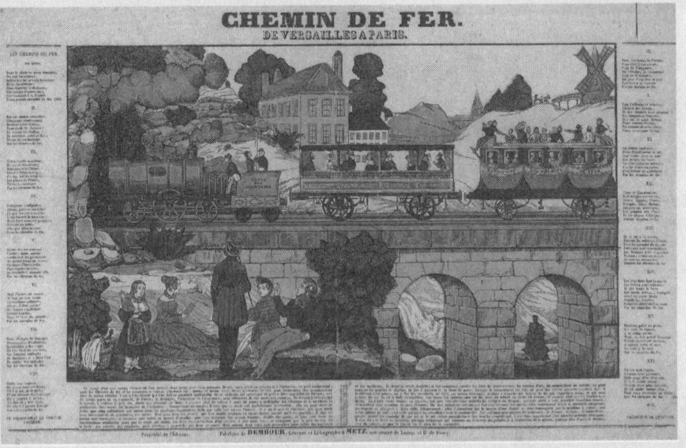

5

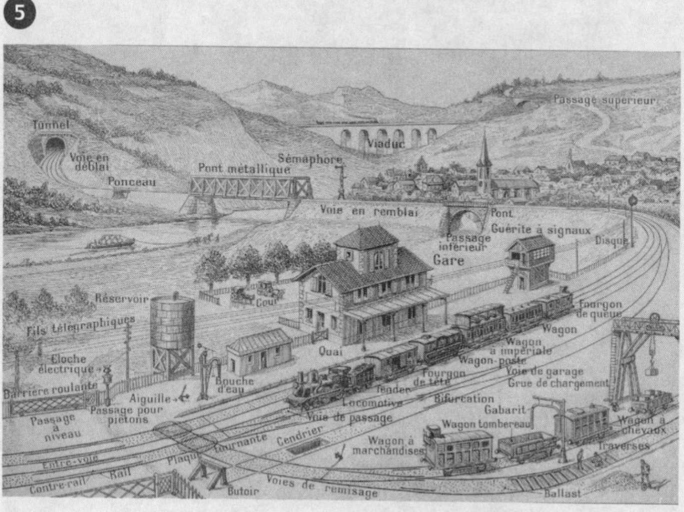

Pour approfondir

Textes et images

7

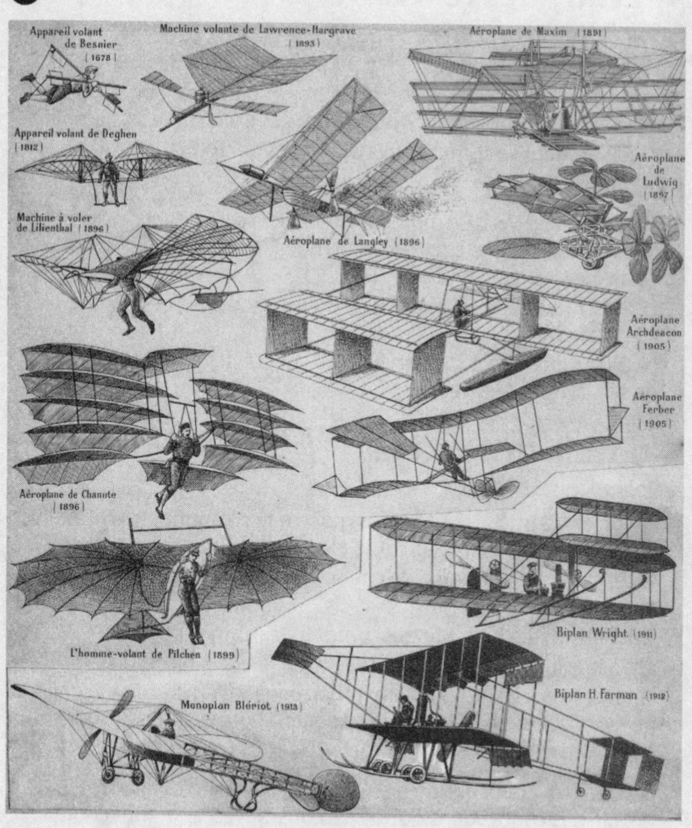
Appareil volant de Besnier (1678)
Machine volante de Lawrence-Hargrave (1893)
Aéroplane de Maxim (1891)
Appareil volant de Deghen (1812)
Aéroplane de Ludwig (1897)
Machine à voler de Lilienthal (1896)
Aéroplane de Langley (1896)
Aéroplane Archdeacon (1905)
Aéroplane Ferber (1905)
Aéroplane de Chanute (1896)
Biplan Wright (1911)
L'homme-volant de Pilchen (1899)
Biplan H. Farman (1912)
Monoplan Blériot (1913)

✣ Étude des textes

Savoir lire

1. Définissez et caractérisez chacun des voyageurs des textes.
2. Relevez le champ lexical du mouvement dans l'ensemble des textes. Comment le mouvement est-il à chaque fois amplifié ?
3. Quels sont les sentiments des différents personnages ?

Savoir faire

4. Vous avez déjà vécu un moment intense en vous grisant de vitesse. Racontez dans quelles circonstances, en insistant sur les sensations que vous avez éprouvées.
5. Écrivez la suite du texte 2, jusqu'au retour de Pierre et Marie à la maison.
6. Le pilote du texte 3 s'émerveille du spectacle qu'il a du haut de son avion. Décrivez.

✣ Étude des images

Savoir analyser

1. Associez les images aux textes qui leur correspondent. Dites en quoi elles les illustrent, en quoi elles ne sont pas adaptées.
2. Dites quelle est l'origine de chaque image, sa fonction et à qui elle est destinée.
3. Quel est le rôle du texte qui complète certaines images ? Ce texte est-il indispensable ?
4. Que sont venus faire les différents personnages du document 7 ? Pour quelle raison se sont-ils installés à l'endroit précis où ils se trouvent ?

Savoir faire

5. Les deux personnages du document 6 sont fiancés. Inventez leur histoire : racontez dans quelles circonstances ils se sont connus, quels sont leurs loisirs, leurs sentiments…
6. Imaginez un nouveau moyen de transport, qui n'existe pas encore. À la manière de Victor Hugo, rédigez une lettre dans laquelle vous présenterez cette « machine » et donnerez vos impressions. Préparez également un dessin explicatif à l'usage de votre interlocuteur.
7. Pourquoi voyage-t-on ? Faites la liste des différentes sortes de voyages, et indiquez pour chacun quels sont les divers avantages et inconvénients pour le voyageur.

✣ Portraits, regards et points de vue

Au théâtre, le personnage prend vie sous les yeux du spectateur. Dans les romans, c'est le narrateur qui le présente au lecteur, en adoptant souvent un point de vue interne. Qu'en est-il de la poésie, qui peint les sentiments et les émotions avec des mots tout en nuances… ?

Documents :

❶ Adaptation de Nicole Parrot à partir des *Mémoires de Monsieur Joseph Prudhomme*, de Henry Monnier (1857) – Prologue au texte intégral de *Grandeur et Décadence de Monsieur Joseph Prudhomme*, comédie en 5 actes de Henry Monnier et Gustave Vaez (1853), *L'Avant-Scène*, 15 septembre 1970.

❷ Louis Calaferte, *Le Monologue*, Gallimard, coll. « L'arpenteur », 1996.

❸ Marcel Pagnol, *Jean de Florette* (1964), Éd. de Fallois, « Fortunio Poche », 2004.

❹ Honoré Daumier, *Les Bourgeois au salon*. Dessin paru dans le journal *La Caricature du…*

❺ E. Cadel, *Le Travail.* Dessin paru dans *L'Assiette au beurre* du 9 août 1902, consacré aux fonctionnaires.

❻ Édouard Manet, *Nana*, huile sur toile, 1877.

❼ *Soldat de la Légion étrangère en tenue de route*, Algérie, 1842. Dessin.

❶ Prologue

Noir dans la salle. Dans un simple « trou de lumière », un chevalet, supportant un grand carnet de croquis.

Antoine Marteau, artiste peintre, en blouse de travail, traverse la salle en courant gaiement, suivi par un projecteur de poursuite. Il arrive au carnet de croquis, au milieu de la scène, l'ouvre et détaille les dessins qu'il fait apparaître un par un. Le dernier des croquis est le portrait de Monsieur Prudhomme.

Antoine Marteau. Ah ! le beau bourgeois que voilà ! *(Il s'adresse à une spectatrice du premier rang.)* Mais, me direz-vous, belle dame, qu'est-ce qu'au juste qu'un « bourgeois » ? hé oui, hé oui… la définition n'en est guère aisée de nos jours…

Voyons, voyons…

Pour le troupier, le bourgeois c'est tout ce qui ne porte pas l'uniforme, là c'est clair. […] Le bourgeois du campagnard, c'est l'habitant des villes qui vient le dimanche l'humilier par le luxe de costumes, de tenues, de voitures qu'il étale […]. L'ouvrier qui habite la ville n'en connaît qu'un, un seul : le Bourgeois de l'atelier, de l'usine, c'est son bourgeois à lui, ou si vous aimez mieux : son patron.

Chez les artistes, c'est bien différent : le mot « bourgeois » n'est plus un dénomination, une signification, une qualification, c'est une injure, c'est « l'Injure », l'injure la plus grossière que puisse renfermer le vocabulaire. […]

Pour moi, le bourgeois proprement dit, c'est un homme qui possède dans les cent quatre-vingts bonnes livres de viande rouge et bien juteuse qui ne doivent rien à personne… Mais croyez-moi, s'il ne pèse, somme toute, que quatre-vingt-dix au physique, il en accuse deux cent cinquante au moral.

Apoplectique ou squelettique, peu importe, d'ailleurs, il descend le fleuve de sa vie les pieds au chaud et du coton dans les oreilles. Chose bien étrange, le bourgeois semble être venu au monde pour la première fois à quarante ans avec des cheveux poivre et sel, des lunettes, un gros ventre, un habit noir et des bas blancs. C'est d'ailleurs le moment ou jamais de le saisir : plus jeune, il n'est pas mûr, plus vieux, il est immangeable.

2 Les lèvres remuent.
Les yeux se plissent.
S'écarquillent.
Les sourcils se rapprochent.

Se froncent.
Les mains s'agitent.
La tête s'incline en avant.
Le nez.
Une moustache.
La mèche de cheveux sur le front.
Peau rose.
Les rougeurs.
Peau lourde.
Les yeux brillent.
L'ossature des pommettes.
Les oreilles grandes.
Longues.
Le lobe épais.
Les dents sont entr'aperçues.
La cigarette.
La fumée.
La main dissimule la bouche.
La joue s'appuie dans la main.
Le doigt se pose sur le front.
L'ongle luisant.
Suit la ligne du nez.
L'index et le pouce se rejoignent au bord des narines.
Les yeux se refroidissent.
La tête se renverse en arrière.
Les lèvres remuent. Ils parlent.

Petite.
Mince.
Brune.
Cheveux courts sur la nuque.
Vive.
Enfance du nez.
Lèvres souples.

Textes et images

Tendresse du visage.
Gestes arrondis de la main.
Cette expression de pudique jeunesse.
Émouvante.
Qui est-elle ?

3 César Soubeyran approchait de la soixantaine. Ses cheveux, rudes et drus, étaient d'un blanc jaunâtre strié de quelques fils roux ; de noires pattes d'araignées sortaient de ses narines pour s'accrocher à l'épaisse moustache grise, et ses paroles sifflotaient entre les incisives verdâtres que l'arthrite avait allongées.

Il était encore robuste, mais souvent martyrisé par les « douleurs », c'est-à-dire par un rhumatisme qui chauffait cruellement sa jambe droite ; il soutenait alors sa marche en s'appuyant sur une canne à poignée recourbée, et se livrait aux travaux des champs à quatre pattes ou assis sur un petit escabeau.

[...] il avait sa part de gloire militaire. À la suite d'une violente querelle de famille – et peut-être aussi, disait-on, à cause d'un chagrin d'amour –, il s'était engagé dans les zouaves, et il avait fait la dernière campagne d'Afrique, dans l'extrême Sud. Deux fois blessé, il en était revenu, vers 1882, avec une pension, et la médaille militaire, dont le glorieux ruban ornait son veston des dimanches.

Il avait été beau jadis, et ses yeux – restés noirs et profonds – avaient tourné la tête à bien des filles du village, et même d'ailleurs... Maintenant, on l'appelait le Papet.

4

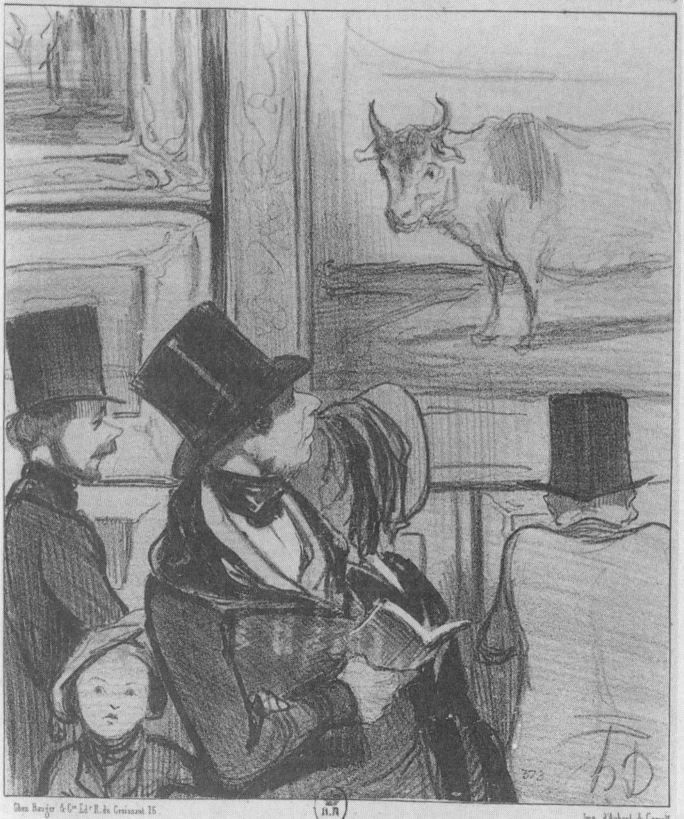
La Caricature (Journal)
Chez Bauger & Cie Edr R. du Croissant 16.
H.R
Imp. d'Aubert & Compie
1842-2369

LE BOURGEOIS AU SALON.

Voyons donc un peu.... qu'est ce que c'est que ça ?.... (lisant dans son livret) „N°. 387. portrait de Mr B*** agent de change „.... tiens... tiens!.... ah! que j'suis bête....: c'est 386. qu'est le portrait de Mr B*** celuici c'est le portrait d'un taureau par Mr Brascassat..... j'disais aussi.... c'tidée de s'faire peindre avec des cornes si grandes que ça...; après ça ces agens de change ça ne se refuse rien.

Pour approfondir

Textes et images

L'ASSIETTE AU BEURRE

Le Travail

1175

6

7

✣ Étude des textes

Savoir lire

1. D'où proviennent ces trois textes ? Comment les distingue-t-on ?
2. Comment chacun des personnages est-il caractérisé dans les trois textes ?
3. À quels personnages de Labiche pouvez-vous les rapprocher ? Qu'est-ce qui les différencie ?
4. Qui voit les différents personnages des textes ? Comment cet observateur exprime-t-il son point de vue ?

Savoir faire

5. Rédigez un prologue sous forme de monologue pour *Le Voyage de Monsieur Perrichon*, en vous inspirant de celui d'Antoine Marteau.
6. À la manière de Louis Calaferte, rédigez un texte mettant face à face un vieillard et un enfant, ou bien une jeune mère et son bébé.
7. Faites le portrait de César Soubayrol quand il était jeune.

✣ Étude des images

Savoir analyser

1. Quels personnages du *Voyage de Monsieur Perrichon* retrouve-t-on sur les images ?
2. Observez les expressions du visage et les attitudes. Quels sentiments et quels traits de caractère l'artiste a-t-il cherché à mettre en valeur ?
3. Quelles sont les informations données par ces images qui permettent de les situer dans un certain contexte social et historique ?

Savoir faire

4. Mettez ces personnages en situation et racontez : qui sont-ils ? Que sont-ils en train de faire ? Que viennent-ils de faire ou que vont-ils faire ? Quelle pensée les traverse à l'instant précis où ils ont été représentés ?
5. La jeune femme regarde l'homme endormi par la fenêtre. Que pense-t-elle de lui ? Imaginez son monologue intérieur, en tenant compte du contexte.

Vers le brevet

Sujet 1 : Victor Hugo, *En voyage – France et Belgique*, p. 144-145.

Questions

I - Type de texte et type d'écrit

1. Relevez les différents indices qui permettent d'affirmer que ce texte est tiré d'une **lettre.**
2. Dans le quatrième paragraphe, relevez tous **les termes qui renvoient à l'émetteur**. Pourquoi Victor Hugo n'utilise-t-il plus ces même termes dans le dernier paragraphe ?
3. Quelle était **l'intention** de Victor Hugo en envoyant cette lettre à sa femme le lendemain de son voyage en train ?
4. Quelle est la **tonalité** de ce texte ?

II - Un voyageur impressionné

1. Expliquez la **formation** de « inouïe » (l. 8), puis donnez un **synonyme.**
2. Relevez les **différentes notations** de bruits, de mouvements, de couleurs et de chaleur. Quelles sont celles qui dominent ?
3. Dans le premier paragraphe, relevez deux **adjectifs qualificatifs** qui **s'opposent.** Quels sont les autres adjectifs du texte que vous pouvez associer à chacun d'entre eux ?
4. Sur **quel aspect du voyage en train** Victor Hugo a-t-il été le plus impressionné ? Qu'est-ce qui l'a le plus enthousiasmé ?

III - Le chemin de fer

1. **Expliquez** l'expression : « ces deux rapidités qui se côtoyaient » (l. 18-19).
2. Par quel **groupe nominal** Victor Hugo désigne-t-il le chemin de fer ? Dans le 5e paragraphe, relevez toutes les **images** employées

pour compléter cette appellation. Comment nomme-t-on ce **procédé stylistique** ?

3. Quel **sens** Victor Hugo donne-t-il au mot « monstre » (dernière ligne) ? Pour répondre, appuyez-vous sur l'ensemble du texte.

Réécriture

Réécrivez les deux premiers paragraphes en remplaçant « je » par « nous ».

Rédaction

Poursuivez la lettre de Victor Hugo en développant la fin de sa dernière phrase : « à le voir, ce n'est qu'une machine. » Votre texte, à visée argumentative, contiendra une description organisée.

Petite méthode pour la rédaction

Il arrive qu'on cherche à exprimer une ressemblance ou une analogie de façon **imagée**. On peut alors utiliser différentes **figures de style** :

La **comparaison** rapproche les deux termes que l'on veut comparer au moyen d'un mot comparatif (« Le chemin de fer **ressemble** à un cheval. »). La **métaphore** assimile également les deux termes, mais sans employer de mot comparatif (« Le cheval de fer est une bête véritable. »). Lorsque la métaphore se développe avec plusieurs termes qui se suivent, on parle de **métaphore filée**. La **personnification** consiste à attribuer des caractères humains à une chose abstraite ou inanimée.

Sujet 2 : Émile Zola, *Les Trois Villes : Paris*, p. 145-146.

Questions

I - Les formes du récit

1. Dans le premier paragraphe, relevez des verbes conjugués à des temps différents. Quel **système des temps** l'auteur a-t-il employé ?
2. À quel **mode** et quel **temps** sont les verbes « traverseraient », « remonteraient » et « reviendraient » (l. 17-18) ? Justifiez cet emploi.
3. Observez les passages de **dialogue** des lignes 11 à 13 et des lignes 19 à 23. À qui les pronoms « vous » et « nous » renvoient-ils ?
4. Dans le dernier paragraphe, relevez un passage de **discours indirect** et un passage de **discours indirect libre**. Qu'est-ce qui les différencie ?
5. Justifiez l'emploi du **présent de l'indicatif** dans la phrase : « Cette route monte légèrement... » (l. 26).

II - Un cycliste débutant

1. Expliquez la **formation** de « aguerri » (l. 14), puis donnez deux mots de la même **famille**.
2. Qu'est-ce qu'une « machine » ? À quoi ce terme **renvoie**-t-il (l. 15, 33 et 38) ? Donnez **deux mots composés** à partir de « machine ».
3. De quel terme employé précédemment le mot « voitures » est-il la **reprise** (l. 29 et l. 32) ?
4. Donnez un **synonyme** de « escapade » (l. 20).
5. Dans l'ensemble du texte, relevez les termes appartenant au **champ lexical** du déplacement.
6. Dans le dernier paragraphe, quels sont les **arguments** de Marie pour rassurer Pierre quand ils dépassent une voiture ?

III - Un charmant professeur

1. Relevez les **passages descriptifs** concernant Marie. Quelle remarque faites-vous ?
2. Qualifiez au moyen de deux adjectifs le **ton** employé par Marie dans les dialogues.
3. Par quel moyen l'auteur **caractérise**-t-il le personnage de Marie ?
4. Quels sont les **traits de caractère** dominants de Marie ?
5. Quelles sont les attentes du lecteur pour la suite du récit ?

Réécriture

Réécrivez le passage de la ligne 30 à la ligne 33 (de : « Elle filait... » jusqu'à : « l'usine Grandidier. ») en remplaçant « elle » par « elles » et « il » par « ils ».

Rédaction

Rédigez le passage manquant à la ligne 24. Votre texte contiendra un passage descriptif et un passage de dialogue.

Petite méthode pour la rédaction

Les paroles des personnages peuvent être rapportées :

• **directement**, dans un **dialogue**, lorsque les paroles sont reproduites telles qu'elles ont été prononcées. On utilise alors le système du présent (présent, futur, passé composé...), et les 1re et 2e personnes.

• **indirectement**, lorsque le narrateur reprend les propos d'un personnage et les insère dans le **récit** au moyen d'un verbe de parole (Il **disait** que...). Le narrateur peut aussi prendre en charge le discours d'un personnage sans utiliser de verbe de parole pour l'introduire : c'est le **discours indirect libre**.

Sujet 3 : Henry Monnier, *Grandeur et Décadence de Monsieur Joseph Prudhomme.* Prologue, p. 153-154.

Questions

I - Un texte de théâtre

1. Qu'est-ce qui permet de reconnaître ce texte comme appartenant au **genre dramatique** ? Qu'est-ce qui permet de comprendre **qu'il n'a pas été écrit** par Henry Monnier ?
2. **À qui** s'adresse Antoine Marteau ?
3. Dans le tout début du monologue, relevez des phrases de **types différents.** Pour quelle raison Antoine Marteau les fait-il ainsi varier ?

II - Les définitions du bourgeois

1. Pour quelle raison certains mots du texte sont-ils placés **entre guillemets** ?
2. À quelles **catégories sociales** Antoine Marteau attribue-t-il les différentes définitions du bourgeois ?
3. **Expliquez** pourquoi le mot « bourgeois » est une injure pour les artistes (l. 21).
4. Quel terme est **mis en relief** dans la phrase suivante : « Le Bourgeois de l'atelier, c'est son bourgeois à lui » ? Quel est le **procédé** utilisé ?
5. Comment nomme-t-on la **figure de style** « il descend le fleuve de sa vie » (l. 28-29) ?
6. Dites comment est **formé** l'adjectif « immangeable » (l. 34). Quel est le sens du **préfixe** et celui du **suffixe** ?
7. Quelle est la **valeur du présent** de l'indicatif employé dans l'ensemble du texte ?

III - Le point de vue de l'artiste

1. Dans l'ensemble du texte, relevez les termes appartenant au **champ lexical** de l'artiste peintre.
2. **Quel sens** Antoine Marteau donne-t-il aux adjectifs « beau » (l. 8) et « belle » (l. 9) ?
3. À quoi Antoine Marteau **compare-t-il** le bourgeois (l. 23 à 27) ? Par quel **procédé stylistique** ?
4. Donner un **synonyme** de « accuse » (l. 26).
5. Expliquez l'expression « du coton dans les oreilles » (l. 29). Antoine Marteau l'utilise-t-il au **sens propre** ou au **sens figuré** ?

Réécriture

Réécrivez le début du texte au **passé composé** (de : « Antoine Marteau », l. 3, jusqu'à : « un par un », l. 6) en remplaçant « Antoine Marteau » par **« Antoine et Raphaël Marteau »**.

Rédaction

À la manière d'Antoine Marteau, écrivez un monologue dans lequel vous chercherez à définir l'adolescent, selon différents points de vue.

Petite méthode pour la rédaction

Les **présentatifs** servent à présenter quelqu'un ou quelque chose à l'interlocuteur. Ils sont fréquemment employés à l'oral car ils servent à désigner **en situation d'énonciation.** On utilise le plus souvent les présentatifs **« c'est »** (c'est une injure), **« il y a »** (il y a quelqu'un), **« voilà »** (voilà un bourgeois), **« voici »** (voici mon mari) et **« il est »** (il est tard). On emploie aussi les présentatifs dans les phrases **emphatiques**, dans lesquelles l'un des constituants est mis en valeur par **encadrement** : c'est un homme qui possède..., voilà l'acteur qui arrive..., il y a longtemps que je pense...

✣ Autres sujets d'entraînement

Sujet 1 : Antoine de Saint-Exupéry, *L'Aviateur*, 1926, p. 146-147.

1. Relevez et analysez : une proposition subordonnée relative – une proposition subordonnée conjonctive circonstancielle – une proposition participiale.
2. Relevez et analysez trois expansions du nom différentes.
3. Dans le deuxième paragraphe, relevez et analysez : un complément d'agent – un complément circonstanciel de lieu – un complément circonstanciel de moyen – un complément d'objet direct.
4. Relevez et analysez trois attributs du sujet de natures différentes.

Sujet 2 : Louis Calaferte, *Le Monologue*, 1996, p. 154-156.

1. Relevez les verbes pronominaux et indiquez leur sens (réfléchi, réciproque ou passif).
2. Comment justifiez-vous l'emploi du déterminant indéfini : « **une** moustache » (l. 9) ?
3. Relevez les termes mélioratifs et les termes péjoratifs.
4. À qui renvoient les pronoms « ils » (l. 30) et « elle » (l. 42) ?

Comment justifiez-vous l'emploi des phrases nominales ?

Outils de lecture

Acte : grande partie d'une pièce de théâtre.

Action : ensemble des événements qui ont lieu les uns après les autres et qui font avancer l'histoire.

Aparté : ce que dit un personnage pour lui-même, que les autres personnages ne sont pas censés entendre. On l'indique par « à part ».

Cantonade : les coulisses. « Parler à la cantonade », c'est s'adresser à quelqu'un qui se trouve (en principe) à l'extérieur de la scène, c'est-à-dire dans les coulisses.

Comédie : pièce de théâtre qui cherche à amuser le spectateur en lui présentant les défauts et le ridicule d'une société (comédie de mœurs) ou d'un personnage (comédie de caractère).

Comique : l'ensemble des moyens utilisés par l'auteur pour faire rire le spectateur. On en distingue plusieurs formes : le comique de situation, de paroles, de gestes, de caractère, de répétition.

Côté cour, côté jardin : on utilise ces termes au théâtre pour désigner respectivement le côté droit et le côté gauche de la scène, vue du spectateur.

Coup de théâtre : événement qui transforme la situation.

Dénouement : fin de la pièce, quand tous les problèmes sont résolus.

Descendre : se diriger vers l'avant de la scène.

Dialogue : paroles qu'échangent les personnages.

Didascalie : indication scénique donnée par l'auteur, qui concerne le plus souvent le jeu des acteurs.

Double énonciation : les acteurs ont deux sortes d'interlocuteurs. Ils incarnent des personnages qui se parlent entre eux. Mais ces personnages s'adressent en fait aux spectateurs, à qui ils racontent ainsi l'histoire. C'est ce qu'on appelle la double énonciation.

Dramatique : destiné au théâtre, en parlant d'un texte, d'un auteur ou d'un acteur : un auteur dramatique écrit des pièces de théâtre.

Exposition : au début de la pièce, présentation

des faits importants et des rapports entre les principaux personnages.

Farce : petite pièce populaire basée sur le comique de gestes et de mots, et dont l'intrigue est très simple.

Ironie : manière de se moquer sans le montrer, soit en restant impassible, soit en disant le contraire de ce que l'on veut exprimer.

Mise en scène : façon de monter la pièce, en tenant compte du texte de l'auteur, du jeu des acteurs, et de l'idée personnelle qu'on se fait de la pièce. C'est ce que fait le metteur en scène.

Monologue : discours qu'un personnage seul sur scène s'adresse à lui-même.

Nœud : l'ensemble des problèmes que les personnages doivent résoudre.

Parodie : imitation amusante d'une œuvre littéraire, ou d'une citation très connue.

Personnages types : personnages qui présentent des traits de caractère bien précis, et qu'on retrouve régulièrement dans les pièces de théâtre.

Remonter : se diriger vers le fond de la scène.

Réplique : chaque élément du dialogue dit par l'acteur.

Satire : œuvre écrite pour mettre en valeur le ridicule d'une situation ou d'un personnage, afin de s'en moquer et de le dénoncer.

Scène : subdivision à l'intérieur d'un acte, qui correspond à l'entrée ou la sortie d'un ou plusieurs personnages. C'est aussi l'espace délimité, généralement surélevé, dans lequel les acteurs jouent la pièce de théâtre.

Tableau vivant : les acteurs sur scène se disposent et s'immobilisent pour représenter un tableau (ou une photographie).

Tirade : longue réplique qu'un acteur dit d'un trait, sans être interrompu.

Ton : manière de s'exprimer, qui permet de faire comprendre ce qu'on pense.

Vaudeville : pièce de théâtre légère et comique, dont l'action est très rapide et pleine de rebondissements, et qui fait alterner des passages chantés.

Bibliographie et filmographie

D'autres comédies d'Eugène Labiche parues en éditions de poche :

Un chapeau de paille d'Italie ; La Grammaire ; La Cagnotte ; L'Affaire de la rue de Lourcine ; Embrassons-nous Folleville !, Brûlons Voltaire et autres pièces en un acte.

Un recueil de pièces comiques parues entre 1850 et 1914 :

Théâtre pour rire, de Labiche à Jarry, Omnibus, 2007.

Théâtre filmé :

Le Voyage de Monsieur Perrichon, DVD, mise en scène de Jean-Luc Moreau, enregistré en 1997 au théâtre Saint-Georges à Paris, Sopat, 1999.
Les Deux Timides, DVD, mise en scène de Jean Le Poulain, AB disques, Coll. « Au théâtre ce soir », 2006.

Labiche au cinéma :

Un Chapeau de paille d'Italie, 1928, film de Marc Michel, réalisé par René Clair, avec Albert Préjean.
Les Deux Timides, 1929, film de et par René Clair ; *Les Deux Timides*, 1943, film d'Yves Allégret, réalisé par Marcel Achard et Marc Allégret, avec Pierre Brasseur.
Le Voyage de Monsieur Perrichon, 1934, film d'Henri-André Legrand, réalisé par Jean Tarride, avec Léon Belières et Arletty.
Un Chapeau de paille d'Italie, 1944, film de Marc Michel, réalisé par Maurice Cammage, avec Fernandel.

Sur le théâtre et la vie quotidienne au XIXe siècle :

Le Théâtre à travers les âges, de Magali Wiener, Flammarion, Collection « Castor Doc », 2003.

▶ Ce petit livre illustré permet de répondre à un grand nombre de questions sur l'histoire du théâtre, ses genres, la vie des acteurs au fil des siècles.

Bibliographie et filmographie

Le Théâtre raconté aux jeunes, d'André Degaine, Nizet, 2006 et ***Le Guide des promenades théâtrales à Paris*** d'André Degaine, Nizet, 2000.

◗ Ces deux livres très riches et originaux contiennent une somme de renseignements sur le théâtre de toutes les époques.

« Ciel, mon mari ! », Le Théâtre de Boulevard, d'Olivier Barrot et Raymond Chirat, Gallimard, coll. « Découvertes, Paris Musée Littérature », 1998.

◗ Un ouvrage documentaire complet, qui contient de nombreuses illustrations sur le théâtre du second Empire.

Quelques romans et comédies pour rencontrer des personnages de bourgeois bien marqués :

Grandeur et Décadence de Monsieur Joseph Prudhomme, d'Henry Monnier et Gustave Vaez (1853).
Le Père Goriot, Balzac (1835).
Madame Bovary, Flaubert (1857).
La Curée (1872) ***;*** ***Nana*** (1880), Zola.
Boule de suif (1880) ; ***Bel-Ami*** (1885), Maupassant.

... et des voyageurs aussi intrépides que Monsieur Perrichon :

Tartarin de Tarascon (1872) ; ***Tartarin sur les Alpes*** (1888), Alphonse Daudet.

Quelques photographies et tableaux pour découvrir la vie au XIXe siècle :

Le Chemin de fer, Édouard Manet (1873).
Le Pont de l'Europe, Gustave Caillebotte (1876).
La série de tableaux consacrés à ***La Gare Saint-Lazare*** (1877), de Claude Monet.
L'Accident de la gare Montparnasse (photographie de 1895).
Les différents intérieurs de wagon, d'Honoré Daumier (1808-1879).
Les portraits de Gustave Courbet (1819-1877), Édouard Manet (1832-1883), Edgar Degas (1834-1917), Claude Monet (1840-1926), Pierre-Auguste Renoir (1841-1919).
Les caricatures d'Honoré Daumier et Paul Gavarni (1804-1866).
Les peintures des grands boulevards et des théâtres de Paris de Jean Béraud (1849-1935).

Crédits photographiques

Couverture	**Dessin Alain Boyer**
7	© AKG
11	Repris page 18 : Bibliothèque nationale de France, Paris – Ph. Coll. Archives Larbor
28	© Pascal Gely / Agence Enguerand-Bernand
66	© Pascal Gely / Agnece Enguerand-Bernand
106	© Agence Enguerand-Bernand
148	Bibliothèque nationale de France, Paris – Ph. Coll. Archives Larbor
149	© Archives Larousse
150	Ph. Science Museum, Londres – Coll. Archives Larousse
151	Dessin – Archives Larousse
157	Bibliothèque nationale de France, Paris – Ph. Coll. Archives Larbor
158	Ph. Olivier Ploton © Archives Larousse
159	Hamburg Kunsthalle – Ph. Ralph Kleinhempel © Archives Larbor
160	Dessin Pierre Brackers De Hugo – Archives Larousse

Direction de la collection : Line KAROUBI

Édition : Marie-Hélène CHRISTENSEN

Lecture-correction : service lecture-correction LAROUSSE

Recherche iconographique : Valérie PERRIN, Agnès CALVO

Direction artistique : Uli MEINDL

Couverture et maquette intérieure : Serge CORTESI, Sophie RIVOIRE, Uli MEINDL

Responsable de fabrication : Marlène DELBEKEN

Photocomposition : CGI
Impression : Liberdúplex (Espagne)
Dépôt légal : Août 2008 – 301604
N° Projet : 11006142 – Août 2008